超一流の雑談力

文響社

はじめに

「意味のない雑談」から「超一流の雑談」へ

みなさんは「雑談」と聞いて、どんなイメージを抱かれるでしょうか？

「雑談」と書くくらいですから、「どうでもいいことをおもしろおかしく話すこと」、「あたりさわりのない話をして場を持たせること」といったイメージかもしれません。

ですが、その認識は本書であらためていただけたらと思います。

雑談とは、意味のないムダ話をすることではありません。

雑談とは本来、人間関係や仕事の質を根本から変えてくれる魔法のようなメソッドなのです。

ところが、多くの人が雑談の本当の力を知りません。そのため、**気づかないうちにとても大きな損をしているる**ということを、まずお伝えしたいと思います。

みなさんの中には、雑談をすることに「価値がない」「わずらわしい」「イヤだ」と思っている方もいるでしょう。「人見知り」「人に好かれにくい」「どうしても苦手なタイプがいる……」と悩んでいる方もいらっしゃると思います。

そんな方にこそ、雑談のレベルを高めることによって起きる、そのすさまじい効果をぜひ知っていただきたいと思います。

たとえば、雑談のレベルが高まるとこのようなことが起きます。

・自分に対する印象や評価がガラッと変わる
・仕事が驚くほどやりやすくなり、成果も上がる
・苦手な人がどんどん減っていき、人間関係で悩まされなくなる
・どんな場所にも顔を出すことができるようになり、よい縁にも恵まれる
・チャンスにも恵まれるので「食うに困る」ことがない
・表情や気持ちが明るくなってきて、人生が充実しているように感じられる

といったように、コミュニケーションという枠を超えて、人生全体に大きなよい影響を及ぼしてくれます。

たとえば、出会ってすぐにもかかわらず「何だか感じのいい人だな」「一瞬でファンになってしまった」という経験をされたことはないでしょうか？

優秀なビジネスマン、リピーターの多いお店の店員さん、芸能界で活躍されるタレントさんなど、世の中にはたった数分にも満たないやり取りの中で「人に好かれる技術」を持っている人がいます。

「おはようございます」「いつもありがとうございます」「よろしくお願いします」など、**ひと言交わしただけなのに、好印象を抱かざるを得ない言葉の使い方や物腰。**

この技術こそが本書でお伝えしたい雑談力の神髄《しんずい》であり、世の中で一流と呼ばれる人があたりまえのように身につけているスキルなのです。

仕事の場面はもちろん、プライベートのさまざまな場面でも自分をより魅力的に見せたり、短時間で人の心の中にふっと入っていく方法。これが、本書でお伝えしたい「超一流の雑談力」です。

こう説明すると、「そんなことが本当にできるのか？」「生まれ持った素質や才能の問題ではないのか？」と思われる方も多いと思います。

しかし、**雑談力を上げるには、スポーツ競技のように身体的な能力や特別な才能は必要ありません**。

誰でも同じようにトレーニングすることができる。しかも、社会生活を営むうえで欠かすことのできない、他のどんなことよりも使う場面が多いスキルです。

つまり、鍛えれば鍛えるほど効果が出やすい。かつ、誰にでもマネ・応用ができるのです。

そもそも、「一流」と呼ばれるような人すべてが、元からコミュニケーションの達人だったといえば、そんなことはまったくないでしょう。

たとえばマイクロソフト元会長のビル・ゲイツ氏が本質的にはとても内向的というのは有名な話です。しかし、ゲイツ氏もいざ社交の場に立てば堂々と話し、ジョークも飛ばします。

もちろんゲイツ氏に限らず、世の中で活躍するすべてのビジネスマンたちも同じで、どんな人でも「若手」「未熟」と言われていた時代があります。一流と呼ばれる人は、「生まれてからずっと一流」なのではなく、一流になるべく自分を磨いてきたのです。

人前できちんと話せる、人と上手にコミュニケーションが取れるというのは、「変えなくてはいけない」「身につけなくてはいけない」と、進んでトレーニングをしたからこその結果なのです。


私は現在、企業の役員や管理職の方、そして一般社員などに向けて仕事のスキルや語学を教える研修会社を営んでいます。

仕事を通して、さまざまな人に出会います。

社会人になったばかりの新入社員。中堅社員や部長などの管理職。社員を束ねる役員や経営者の方々など……年間、数千～万単位の人と関わる機会をいただいています。

その中には、飛び抜けて優秀な方もいれば、あともう少しでもっと突き抜けられるのに……という方、また残念ながら「今すぐ会社をやめたい」「仕事がつまらない」という雰囲気を発している方もおられます。

たとえば「仕事がつまらない」人の典型的な例として、お客さんのところに何度出向いても「シッシ」と煙たがられる営業マンがいます。仕事を取るどころか、会う時間すらもらえないのです。

会う約束ができない、一度会えてもその次に会う約束がまったくできない。こんなことが続けば、会社からの風当たりも強くなってきますし、当然ながら働くのがイヤになってしまうでしょう。

しかし、このような事態に陥ってしまう人には、実に多くの共通点があります。

たとえば、次のようなことです。

・「声が小さい、声が低い」
・「話がおもしろくない」
・「自分が話すことばかり考えている」
・「リアクションがない、もしくはワンパターン」
・「質問をしない、質問が的外れ」

本人に悪気はないのですが、こうしたことが積み重なると、本来持っている魅力がまったく伝わらない、「つまらない人」に見えてしまっている可能性が高いのです。

ですが、これらを改善するとどうなるでしょうか？

・「声をいつもより３音くらい高くする」
・「相手が聞きたいと思う話をする」
・「相手の言いたいことを理解してから話す」
・「あいづちやうなずきのバリエーションを増やす」
・「質問で上手に会話を広げる」

そうすると、驚くべき変化が起きていきます。

それまで「シッシ」とされていたのが嘘のように、お客さんと会う約束ができるようになり、どれだけ足しげく通っても取れなかった契約が取れるようになるのです。

その結果、やめようとしていた会社をやめるどころか、そのあと数ヶ月でトップ営業マンにまでなる……そんな事例を何度も見てきました。

みなさん共通しておっしゃるのは、「仕事をすることが苦痛でなくなった」ということです。コミュニケーションの取り方を変えることで成功体験を積み、自分に自信が持てる。その結果、人と会うことが楽しくて仕方なくなったのです。これはもちろん仕事面だけでなく、プライベートの人間関係でもまったく同じことが言えます。

雑談というのは、あらゆる人間関係の入口です。自分という人間を認めてもらい、その後の関係をより深く、強いものにするためのきっかけであり、人間関係の方向性を決定する重要なステージになります。

本書では、雑談力を高めるテクニックについて、数々の実践例から確実に効果のあった方法を取り上げ、誰でも日常に取り入れられるように、具体的なアクションや指標に落とし込んでまとめました。

「実践的」「具体的」であることにこだわって紹介していますので、この中で1つでも2つでも、実生活に取り入れていただきたいと思います。

そして、みなさんの仕事やプライベート、人生が、コミュニケーションの取り方一つで変わることを感じていただけたら、これほど嬉しいことはありません。

みなさんが本来持っている魅力を人に理解してもらえるようになり、いきいきとご活躍をされることを、心よりお祈り申し上げます。

安田　正

もくじ

第2章 何を話題にすれば、雑談は盛り上がるのか？

第3章　思わず心を許してしまう聞き方

三流は、人の話をまったく聞かない
二流は、聞いたふりだけうまい
一流は、相手が気持ちよくなる聞き方をする

第4章 出会ってすぐに距離を縮める方法

三流は、人に嫌われて帰り、
二流は、すぐに顔と名前を忘れられ、
一流は、たった1回の雑談で親友になれる

第５章 さらに距離を縮める二度目の雑談

第6章 相手によって話し方や話題を変える

三流は、誰に対してもローテンション
二流は、お決まりのワンパターン
一流は、自在にコミュニケーションの型を操れる

第7章　雑談から本題への移り方

第8章 今日から始める雑談トレーニング

「できていないことがわからない」人間は三流で終わり、
「できない」ことを知り、あきらめる人間は二流で終わるが、
できるまで、とことんやりきれる人間が超一流になれる

第1章

「超一流の雑談」の始め方

三流は、出会った瞬間に悪印象を与える
二流は、記憶や印象に残らない
一流は、最初の1分で「忘れられない人」になる

1

「信頼できる」「好き！」と思ってもらえる自己開示

人の評価は会話開始1分で決まる

では、いよいよ「超一流の雑談」について見ていきたいと思います。

「はじめに」でもお伝えしたように、雑談のよしあしは相手に与える自分の印象をガラッと変えます。

では、人と人が出会い、話をする。そのときの相手に対する印象や評価はどれくらいの時間で決まるでしょうか？

さまざまな研究の結果、**その人に対するおおむねの評価は会話が始まってから1分。最長でも4分で決まる**ことがわかっています。

「できる」「できない」「信頼できる」「信頼できない」「好き」「好きでない」といった評

価は出だしで決まる。

これはつまり、相手に提案したいことやお願いごとがあるとき、気になる人を食事にお誘いしたい場合など、最初にいい印象を与えているかどうかで、そのあとの関係にかなり響いてくる、ということです。

軽い失敗談などの気安さを生むエピソードを

では、どのような手順を踏むとよい印象を与えやすくなるのでしょうか？

会話の序盤でぜひ取り入れていただきたいテクニックとして挙げられるのは、適度な「自己開示」をすることです。

自己開示とは、文字どおり自分を開くこと。自分はこういう人間です、と相手に伝えることです。

雑談の際、一方的に自分のことばかり話すのはＮＧ。これは「自分勝手」などの悪印象を与える雑談です。かといって「目の前の人がどこの誰だか、何を考えているのかわからない」では、相手も安心してコミュニケーションが取れません。そこで、自己開示をしていくことで距離を縮めるスピードを早くするのです。

具体的なやり方としては、「**自慢話はしない**」「**軽い失敗談を話す**」といったことが基本になります。

ただし、失敗談にも注意が必要で、

・**「昨日も飲み過ぎて今日も二日酔いなんですよ（笑）」**
・**「いつも遅刻ばかりで会社からも怒られているんですよ（笑）」**
・**「親の介護で大変なんです……」**

といった類《たぐ》いの、「**この人は人間的に大丈夫なのか？」と思われかねないような失敗談、**

また、相手が引くくらいの経験談、身の上話はNGです。

あくまでもほどよい気安さを生むために、自分はどういうことを経験して、どんなことを考えている人間なのかを伝える作業です。

よい自己開示というのは、具体的にいえば次のような例です。

・「そういえば、私もこの前飲みすぎて家内にどやされましたよ（笑）」

・「学生の頃はサッカー部でやせていたんですけれど、今はこのとおりだいぶウェイトアップしまして（笑）」

・「○○出身なのですが、女優の××さんと同じ小学校に通っていました」

このような何気ないひと言で場の空気をよくしたり、相手が気になるような情報をあえて入れておくことによって、会話を広げるきっかけをつくります。

一流と呼ばれるような人は、この自己開示の具合が実にほどよく、それだけで心をつかまれてしまう魅力があります。

普段はなかなか会えないような、緊張してしまうようなポジションにいるからこそ、あえて気安く話しかけやすい雰囲気をつくっているのです。

その意味では、**自分のキャラクターや見え方なども考慮したいところです。**

たとえば、意外性やギャップを生む情報（「見た目は軽そうなのに、実はまじめ」「細いのに、よく食べる」「まじめに見えるのにユーモアがある」など）があると相手も魅力を感じてくれやすくなります。

ただし、「まじめに見えるのに、中身はテキトウ」などは絶対に見せてはいけないギャップなので、注意してください。

自己開示は1分以内

自分の印象を把握する

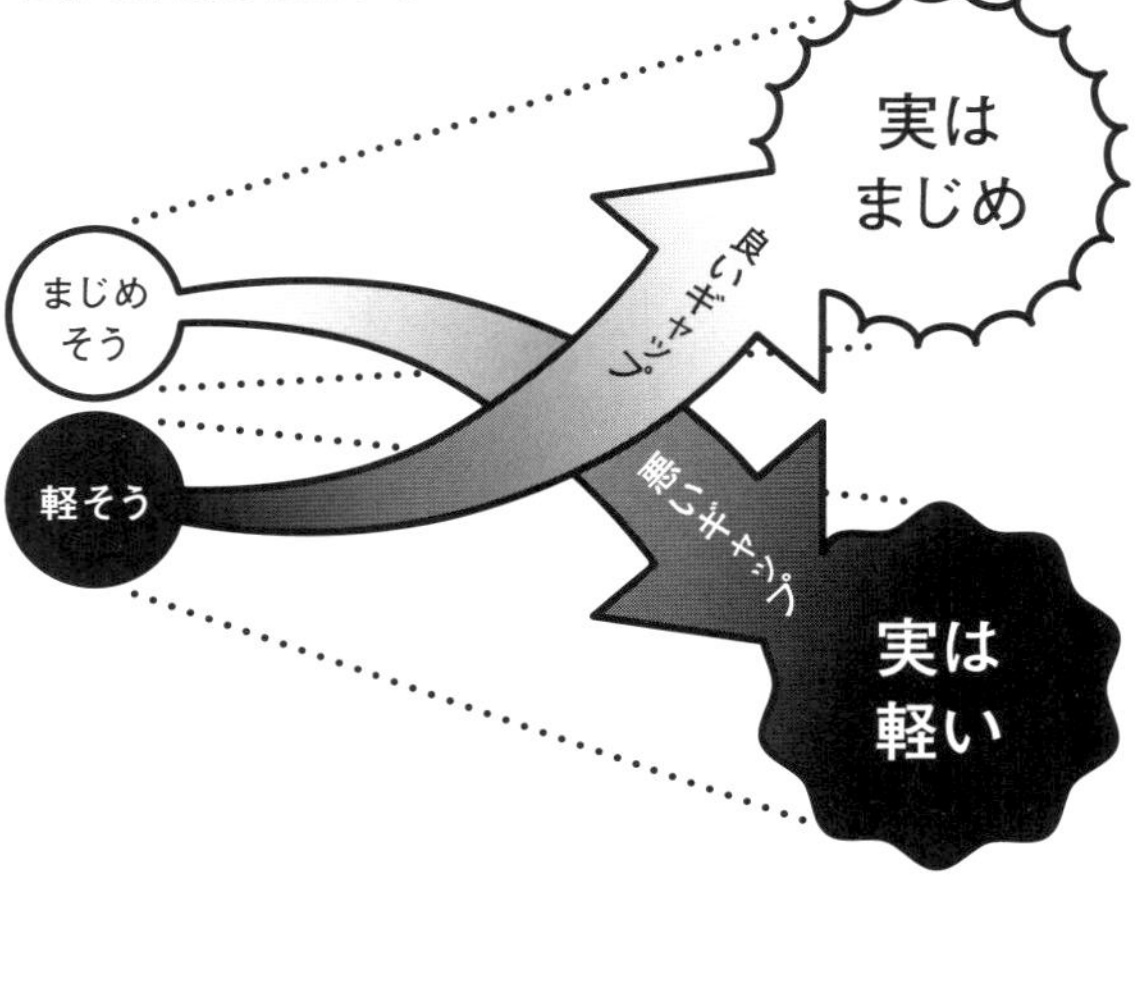

自分のことを伝えるときのポイントは、話を短くおさめることです。

何かエピソードを話すときも、30秒から長くても1分以内にとどめてください。

自己開示とは、あくまでも自分のことを知ってもらい、相手の警戒心を解くことが目的です。

ほどほどの失敗談を、ほどほどの時間で話す。そして、相手に話してもらう時間をつくっていくようにします。

一流のポイント 1／38

愛されやすい人になるために、自己開示をうまく使う

2 芸能人もよく使うオノマトペ

ひきつける話をする技術

雑談では、話す内容ももちろん大切なのですが、それ以上に、多くの人はそれ以前の「話し方」で損をしているところがあります。

せっかくいい話、おもしろい話をしているのに、表現方法が悪いために伝わらない、興味を持ってもらえないことがよくあるのです。

そこで、ここでは「わかりやすい」「人をひきつける」話し方について見ていきましょう。

オノマトペで言葉のニュアンスを出す

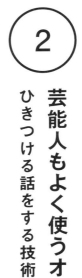

テレビ番組で芸人やタレントさんたちが「最近あったおもしろい話」をしている姿を見かけないでしょうか？

よく観てみると、彼らの話はすべて「特別おもしろい経験」を語っているわけではありません。誰でも経験するような日常を切り取った話なのですが、うまく話すことでおもしろく見えてくる。一つの雑談芸と言えると思います。

では、どうしてあたりまえの話がおもしろく、わかりやすいものに見えてくるのか？

そのテクニックの一つとして、「オノマトペ」を使うことが挙げられます。

オノマトペはフランス語で、音や感情の様子などをあらわす擬声語です（たとえば、「雨がザーッと降ってきた」のザーッにあたる部分）。

「駅から出た瞬間、大雨が降ってきた」ことを伝えたいとき、「駅から出た瞬間、ザバーーーッと雨が降ってきまして」とするだけで、その激しさが伝えやすくなりますよね。

オノマトペを使うことで、言葉の勢いやニュアンスを出しやすくなります。

話芸の達者な人は、この**オノマトペと、さらにその言葉に合わせた身ぶり手ぶりを使うことで、話に臨場感を与える**のです。

一文は短く、リズミカルに話す

さらに、話をわかりやすくするために心がけたいことは次の2つ。

①一文を短くすること
②リズミカルに話すこと

話し言葉になると、人はどうしてもダラッと話を続けがちです。

[ダラッとした話し方の例]

「昨日あるフランス映画を観にいったのですが、これがとても退屈な映画でして、思わず途中で寝ちゃったんですが、一緒にいった彼女はとても気に入ったようで、ものすごい怒っちゃって……」

と、このように話してしまいがちなのですが、聞き手にとっては一文が長いので文章が頭に入って来づらく、リズムも悪いので聞いていて心地よくありません。

[頭に入って来やすい話し方の例]

「昨日彼女と映画を観に行ったんですよ。結論から言うとこれがものすごく退屈で。思わず途中で寝ちゃったんですよね。でも、彼女はかなり気に入ったらしく、『何で寝てんのよ！』って、あとですごく怒っちゃって……」

これくらい文章を区切り、テンポよく話を繰り出せることが理想です。

そのためのポイントは何かといえば、それこそ芸人さんのように、日常から話す練習をしておくことにつきます。彼らもいろんな場所で話しているからこそ、話一つで人を笑わせることができるのです。

特に練習もなく、「出たとこ勝負」でうまく話せるようにはなりません。話す場所や相手を変えながら、「どうしたらうまく伝わるか」と考え、反応を見ながら練習して、改善をしていくことが必要です。

数を重ねるごとに「この情報はいらなかったか」とか、「こういう順序で話したほうが伝わるな」といったポイントが整理できるようになっていきます。

とはいえ、そんなに難しいことではありません。**ある話を自分のものにするためには、3回も練習すればOKでしょう。**

飲み会やランチのときなど、機会を見つけてみてください。

3回話せば、それは「持ちネタ」「テッパン話」としてストックされていきます。

一流のポイント

2／38

テッパン話は、3回練習するとモノになる

3 「ノープラン雑談」から「オチのある雑談」へ

ヘタな人ほど話が長い理由

話ベタな人の特徴としてまず挙げられるのは、話が不必要に長いことです。

たとえばパーティーや結婚式での乾杯のあいさつや、会社や学校の朝礼などを思い出してみてください。

スピーチしている人が一生懸命に話をしますが、一向に終わる気配がない。だんだんと「まだ続くの?」「早く終わらないだろうか」という空気が流れ始め、結果的に「話が長かった」こと以外、誰の記憶にも残らないスピーチになる……そんなことがよくありますね。

こうしたことが起きてしまうのは、**「話の終着点をどこに持っていくか」というプランニングがないことが大きな原因です。**

一方、コミュニケーションがうまい人、話し方がうまい人ほど、この終着点をよく考えています。だから、話がうまい人にはムダがないのです。

雑談の中でも、「この話題はここに持っていこうかな」といったシミュレーションを事前にしていたり、あるいは会話の中で「これを聞こう」「このことを伝えよう」というポイントを決めているのです。

では、具体的にノープランな雑談とはどんなものか。簡単に見てみましょう。

ノープランな雑談の例

A「Bさんは休日何をされているんですか？」

B「私は基本的にインドアなので、家でのんびりしていることが多いですね」

A「家でのんびりと……いいですね……ええと……家ではどんなことをされるんですか……？」

といったように、質問に意図がない（何を引き出したいかノープランになっている）ので、相手の答えに対していいリアクションを取れません。そのため、いくら話を続けてもうまく広がっていかないのです。

しかし、同じ内容でも「プラン」や「目的」を持つとこのような会話ができるでしょう。

プランがある雑談の例

A「Bさんは休日何をされているんですか？」

B「私は基本的にインドアなので、家でのんびりしていることが多いですよ」

A「家でのんびりですか、**きっとお仕事が忙しいから、家ではゆっくりされたいんでしょうね**」

B「そうですねぇ、この時期は特に忙しいので、なかなか外でアクティブに動く気にはなれないんですよ」

といったように、たとえば「相手の置かれた状況を知りたい」「相手のプライベートを知りたい」など、雑談の中に目的を置くと、その方向に向かって相手のキーワードをうまく拾って会話を広げることができます。

プランニングといっても、何から何までシミュレーションしようというわけではなく、重要なのはあくまでもゴールを決めておくこと。常にゴールに向かって会話を進めていくことです。

伝えたいことは何か、何を引き出したいのか、何のために会話をしているのか。そうして「オチ」や「結論」ありきで展開していくと、話も広がりやすくなります。

一流のポイント
3／38

何のための話か、ゴールを意識し、見失わない

4 声は、ドレミファソラシドの「ファ」か「ソ」

低い声は感じが悪い

声の高さで変わる印象

会話の中でみなさん意識をされていないのが、そもそもの「声」の出し方です。

具体的には、「声の高さ」がとても大切になってきます。

ふだんあまりふり返る機会がないのですが、雑談では基本的に「高めの声」を出すように心がけてください。

高い声は、話す人のキャラクターを社交的に感じさせる効果があるのです。

一方、低い声はどうかというと、話の内容に対する信頼度が高く感じられる、といったメリットもあるのですが、それ以上にデメリットのほうが大きく、「高圧的」「暗い」「とっつきにくい」印象を与えてしまいます。

ですから、気軽なコミュニケーションでは声は高く、が鉄則です。

高めの声で気持ち早めに話す

では、高いといってもどれくらいの音がちょうどいいのでしょうか？

これにはハッキリと指標があります。

「ドレミファソラシド」と音階を口ずさんでみてください。

そのうち、**ちょうどいい声の高さの目安は、「ファ」か「ソ」の音です。**

正しい音階ではなく、あくまでも「自分の中のドレミ」で結構です。たいていの人は、「ド」〜「ミ」くらいの音が地声になっていると思います。

そういう人からすると、「『ファ』の音は高すぎるんじゃないか？」と思うかもしれませんが、親しみやすさという点では、それくらいがちょうどよいのです。

なお、高い声で話すにはテンポも大切です。

声が低くなりがちな人は、話すスピードを上げてみましょう。

早口言葉、たとえば「バス ガス 爆発」や「生麦 生米 生卵」をなるべく早く言おうとすると、自然と声も高くなると思います。

その要領で、テンポよく、リズムよく話すことで自然と「いい感じの声」が出るようになるでしょう。

一流のポイント
4／38

一流の声は、親しみやすく心地よい

5

開口一番は「よろしくお願いします！」から

君によろしくお願いされたくない、と人は言わない

雑談をするとき、意外とできていないのが「開口一番のさわやかなあいさつ」です。

さまざまな要因はあるかと思いますが、みなさんえてして**会話の始めのあいさつを軽んじる傾向があります**。

特に初対面の会話では緊張してしまったり、照れてしまったりするのか、ぎこちなくて相手まで緊張させるような会話になることもあります。

「会話の始まり」とは、「つかみ」の部分。ここでうまくいくと、その後の会話の空気がとてもよいものになります。

空気をよくする会話は出会い頭《がしら》のあいさつから

では、どのように始めたらよいのでしょうか。

何ということはありません。

まずは元気に、素敵な笑顔で、「はじめまして、○○社の××と申します。**本日はお時間をいただきどうもありがとうございます。よろしくお願いします！**」と言ってください。

開口一番はこれでOKです。

不思議なもので、「よろしくお願いします」と言われると、人はこれを好意的に受け取ってくれます。

「君によろしくお願いされる筋合いはない！」と言う人に出会ったことは、少なくとも私の経験では一度もありません。

さわやかに「よろしくお願いします」と伝えることで、相手と話すことを許される状態をつくる。小さいようですが、とても大事なステップの一つなのです。

もちろん仕事にかぎらず、プライベートの飲み会の場などでも同じですね。

「よろしくお願いします！」「よろしく！」とニコッとあいさつする人を嫌いになれる人は、そうそういません。

ぜひ、練習をしてみてください。

一流のポイント
5／38

さわやかな「よろしくお願いします！」はよい空気をつくる火つけ役になる

雑談ゼミ1

世界一の投資家が学生に伝えた「人生の財産」

「私、人見知りなんです」と言う方はとても多いです。

最近では「人見知りなので……」と、まるで枕詞《まくらことば》のように使われているケースもよく見られます。

ですが、「人見知り」というのは特殊な症状でも何でもありません。世の中のほとんどの人は、「もともと人見知り」なのです。

では、人見知りとそうでない人の差は何かというと、「場数」や「経験」の問題になってきます。さまざまな人に会う中で耐性がついていき、徐々に、あるいは何かをきっかけとして劇的に改善されていくものなのです。

数年前、テレビ番組で「世界一の投資家」ウォーレン・バフェット氏が母校でこんな質問を受けていました。

「社会人1年生が早くビジネスの世界で経営陣に加わるにはどうすればいいですか？」

バフェット氏は学生の質問に、こう答えます。

「一つ知っておいてもらいたいのですが、才能を持った人はどこにいても非常に目立つものです。それは、たとえばＩＱが２００あるから、といった理由ではありません。その人のふるまいが、そう感じさせるのです。

話し方は、人生において重要な財産となります。苦手な人は少し時間がかかるかもしれませんが、訓練して、人前で楽な気分で話せるようにするといいでしょう。人前で話すのが恥ずかしいというのは、大きな弱点になります。話し方は、大事な技術です」

このように言っていましたが、本当に、コミュニケーションというのは一度身につければ人生を左右する貴重な財産になります。

かく言う私自身も、かつては人見知りで、知らない場所や人は大の苦手でした。

だからこそ思うのは「自分が人見知りである」と強く認識している人のほうが、よりコミュニケーション能力を高める素質を持っているということです。

自分のことを「人見知りだ」と思っている人は、コミュニケーションに高い理想を持っている人です。「自分のコミュニケーション力はまだまだ」と感じてしまうから、人見知りだと思わずにいられないのです。

このコンプレックスこそ、人を伸ばすとても大きな力になります。

コンプレックスを解消しようと努力を重ねていくことで、だんだんと実力や実績がついていきます。

ですから、「人見知りだから」と壁をつくるのではなく、「人見知りだからこそ」、これを解消するためのアクションに打って出てほしいと思います。

そのアクションを起こしやすくするためのコツを、本書では紹介してまいります。

第2章

何を話題にすれば、雑談は盛り上がるのか？

三流は、雑談で相手を不快にする

二流は、何も生み出さない雑談をする

一流は、雑談で信頼を築く

6

「最初の話題」は天気やニュースなど、あたりさわりのないものこそが正解

話題はどんどん変わるもの

初対面での雑談は非常に緊張するものです。

特に「どんな話をすればいいのか？」その話題選びには苦労をします。

あたりさわりのない話を続けるだけでは盛り上がりませんし、かといって自分の好きなことや得意なことだけで勝負しようとすると「ハマれば盛り上がるけれど、そうでないことも多々ある」ものです。

そこで、この章ではどのような話題を選び、どのように話を広げていけばいいのか考えてみましょう。

タテとヨコ——会話の2つの軸

まず前提としておさえておきたいのは、雑談で大切なのは相手をのせること。

基本的には相手に合わせて話題や接し方を変えて、盛り上がりやすい空気をつくっていくものだということです。

このとき、大事な考え方があります。

それは、会話における「タテ」と「ヨコ」という2つの軸です。

タテの軸というのは、会話の深さのこと。

これが深まると、相手との距離を縮めやすくなります。

対して**ヨコの軸とは、何を話題にするか**

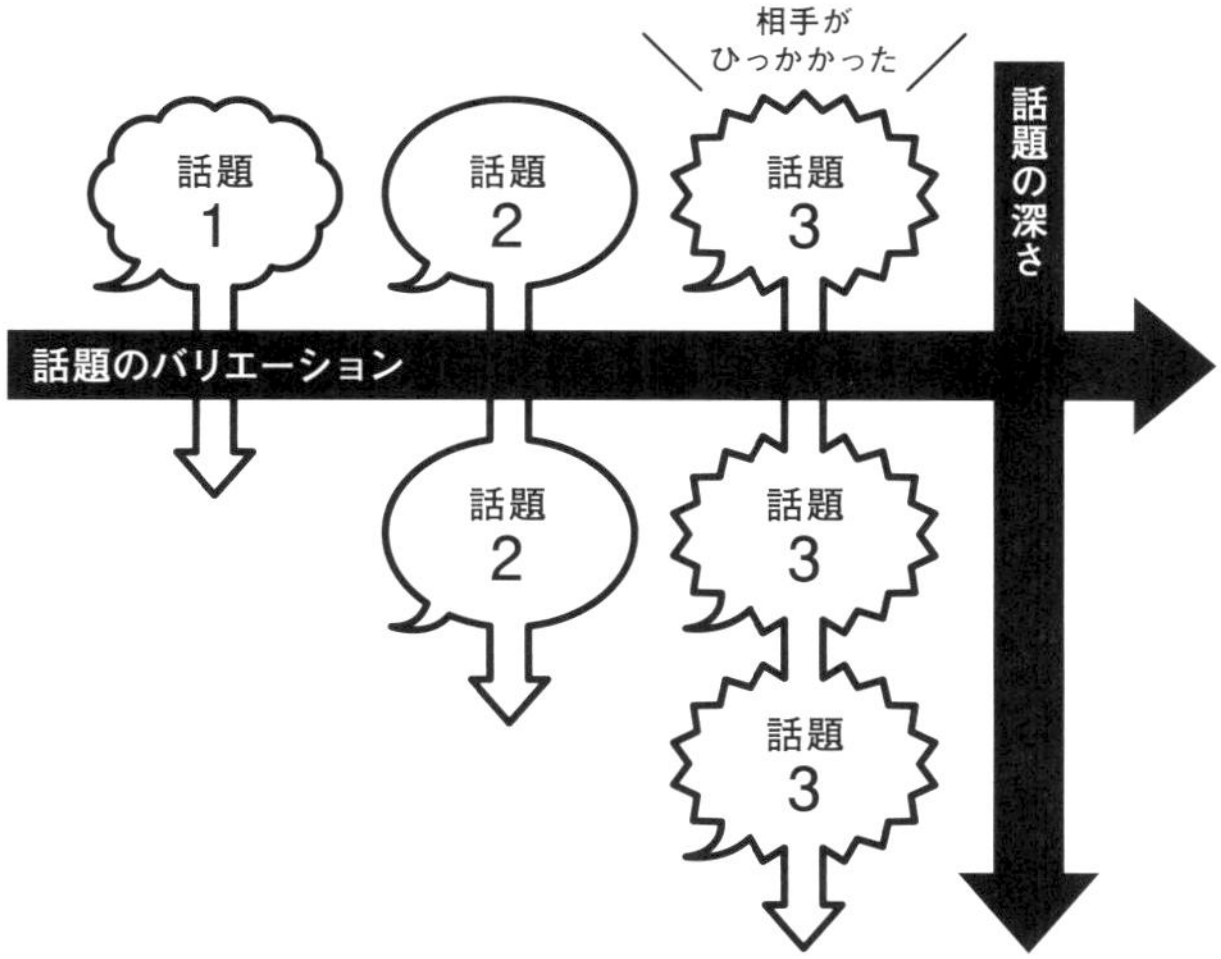

です。

さまざまな話題をふりながら（「ヨコ展開」）、この人は何に興味があるのか、どんな話をすれば会話が深まっていくのかを探っていき、相手がのってきたところでその話題を深めていきます（「タテ展開」）。

雑談に適したテーマとは

では、実際にどのような話題をふればよいのでしょうか？

最初のきっかけとなる話題は次の中から選ぶとよいとお伝えしています。

気候／相手の会社情報／衣服、ファッション／健康／趣味／最近のニュース／共通のこと／出身地／血液型／仕事

簡単にいえば、**誰にでもあてはまるようなあたりさわりのない話題がいい**、ということです。

超一流の雑談というのは、何もトリッキーな話題をふるということではありません。天気などのありふれたところから話をふくらませて、共通点などをうまく見つけて、相手のふところに入っていく。そのプロセスがとても自然な雑談なのです。

試しに、2つのケースを見てみましょう。

ふつうの営業マンAの会話例

A「いやぁ〜、すごい雨ですね」

B「そうですね、急に降ってきますからね」

A「この季節はよく降られてしまって外回りも大変です」

B「そうですか、お疲れさまです」

A「えっと……それで今日なんですが……」

と、「タテ」と「ヨコ」の意識がない人は、このように雑談のラリーが続きません。本当に「ただのムダ話」に終わってしまうのです。

一方、雑談がうまい人は、こんなふうに会話を進められます。

雑談がうまい営業マンAの会話例

ヨコ

A「しかし、最近の異常な大雨には困ってしまいますね。今も駅についた瞬間に降られてしまいました」

B「急に降ってきますからね」

A「そうなんです。なかなか天気が読めないので、週末も外へ行く予定が立てられなくて困っているんですよ」

B「ありますよねぇ、私も先週予定がつぶれてしまいました」

A「ええっ、それは災難でしたね！ どこに行かれるつもりだったんですか？」

タテ

……と、入りは天気の話題でしたが、「天気（雨）」→「週末の予定」とテーマが移動しています。

基本的には一つの話題をフックにして、相手の反応を見ながら話題を変えていき、相手がどこに引っかかるのか探っていく。引っかかる話題があったら、深掘りしていく……と、これが雑談の基本的な流れになります。

このやり取りの中で相手のことを知り、自分のことを知ってもらい、距離を縮めていくのです。

雑談で出すべきでない話題

なお、雑談では「出すべきでない話題」もいくつかあります。

代表的なものは、よく言われるように政治の話や宗教の話です。

というのも、政治や宗教は個人の思想が深く関わってきます。さらに話のテーマが深すぎるために、「雑談」ではなく「議論」になってしまう可能性があるのです。

雑談の話題は、ある程度の気軽さがないとうまく盛り上がりません。**決して議論をしてはいけない**というのは、一つ大事な鉄則です。

では、軽さの代表例である「恋愛」や「下ネタ」はありか？　というと、これはケースバイケースになります。ただ、「基本的にはしないほうがいい」と考えています。

確かに、うまくいけば一気に距離を縮められる話題であることは事実です。

しかし一方で、間違えるととんでもないことになる可能性もあり、「空気を読む力」も必要になります。特にビジネスシーンではニュートラルな会話を心がけるのが無難です。

一流のポイント
6／38

どんな話題から入っても、引っかかりを見つけて内容を深めていく

⑦ 必要なのは「Funny（笑い）」ではなく、「Interesting（興味深い）」な話題

人が食いつく「おもしろい話」とは

雑談の最初にふる話題はあたりさわりのないものでいいとお伝えしました。

では、そのあたりさわりのない内容からさらに雑談を盛り上げる。タテ軸を深めていくために必要なのはどんなことでしょうか？

それは、相手が興味を持つようなおもしろい話をすることです。あたりまえのようですが、意外とこれをわかっていない人が多いのです。

というのも、「おもしろい話」というと、多くの人は芸人さんがするような「笑い話」をしなければと思ってしまうのですが、そんなことはありません。

「Funny（笑える）」だけがおもしろいではなく、「interesting（興味深い）」だって「お

もしろい話」になるのです。

無理に笑い話をせずとも、相手が「それ気になるなぁ、教えてほしいなぁ」と思う話をすれば雑談は盛り上がります。

「笑い話」もたしかにその場は盛り上がるのですが、それではあとでふり返ったときに「あぁ、あのおもしろかった人……」という程度の印象しか残りません。

それよりも、「へぇそうなんだ！」と相手が思わず食いついてしまうような、記憶に残るような話をしたほうが「○○を教えてくれた人」と強く印象が残ります。

持っておきたい雑談のネタ

では、興味深くておもしろい話とはどんなものでしょうか？

たとえば、こんな話があります。

日本人の死因ベスト3は、「がん」と「心筋梗塞《こうそく》」ともう一つあるのですが、何だと思われますか？

「脳卒中」……と答えたくなるかと思いますが、しかし、そうではないのです。

正解は「肺炎」です。「がん・心筋梗塞・脳卒中」の3つは、「三大疾病《しっぺい》」と言われていますが、実は死因で考えると、ここ数年では肺炎が多くなってきているのだそうです。その背景としては……

――と、こんなことでいいのです。

この肺炎の話は、先日テレビでやっていたことなのですが、特に健康問題が切実になってくる40代以上の人にとっては関心の高い話題の一つですね。

「そうなの？」「どうして？」「もっと知りたい！」と思わせたらこっちのもので、ひと盛り上がりできる話を提供することができます。

もちろんこの手の健康話だけではなく、まだ世の中で知られていないイベントやサービス、便利なグッズ、ひそかに話題になっているスポットなど、幅広い人に対応できるように雑談のネタを仕込んでおくと距離を縮めるきっかけをつくれます。

具体的な数としては、**違うジャンルで常時5〜6個。ある程度古くなったエピソードは入れ替えていく**ようにしてください。

たとえば、「**自分の本業に関わるおもしろい話**」「**健康の話**」「**スポーツ**」「**最近気になる商品**」「**おもしろかった映画や本**」など、相手の年齢や性別を選ばない幅広いネタを持つようにすると、相手が誰でも対応しやすくなります。

雑談のヒントはあらゆるところに潜んでいる

ここで大事なのは、日常生活のどこにでも、会話の種は転がっているということです。意識をしないと通りすぎてしまうようなことも上手に拾い、コミュニケーションのツールとして実生活の中で使っていく。

こうしたことができるのは、業界や職業に限らず、あらゆる一流の人が当然に行っていることの一つです。

いろんなものごとをつなげて、自分のものにして、応用していく技術。その意識の差が一流と二流の差をつくっていく、ということがよくあらわれる例でもあります。

一流のポイント
7／38

笑い話は記憶に残りにくいが、興味のある話は記憶に残りやすい

8 人をつかむのは、「雑学」ではなく「使える知識」

相手の興味を引きつける方法

さて、おもしろい話に必要なのは笑いだけではないとお伝えしました。

むしろ、ちょっと距離のある人との雑談では、ヘタな笑い話よりも相手が興味のある話をしたほうがよいと私は思っています。

そこで、ここでは「相手の興味がある話」についてもう少し掘り下げて考えてみましょう。

人の「興味」にもいろいろとありますが、最も興味を持ってもらいやすいのはどんな話でしょうか？

それは、**相手に実益のある話です。雑学ではなく、実用の知識。**これをうまく提供していけるとよいわけです。

たとえば、雑談の中で相手がゴルフに興味を持った人だとわかったとしましょう。

こういうときには、それに関連する情報を相手にふってみます。

「すでにご存知かもしれませんが、××というスイングの仕方をご存知ですか？ 先日雑誌で読んだのですが……」

その情報を知らなければ思わず食いついてくるでしょうし、また、相手がすでに知っていたとしても、ひと盛り上がりできるでしょう。

「使える知識」の参考例

他にも参考例として、どんな言葉を投げかけたらいいか並べてみましょう。

（健康に興味のある人に）

「最近知った、とっておきの疲労回復方法があるんですが……」

（投資をしている人に）

「そういえば、投資家の○○が××社に1億ドル投資したそうですね。△△の分野が注目されているようですよ」

（お酒好きの人に）

「100円台でつまみが食べられる居酒屋をこの前見つけまして」

（睡眠の話になったとき）

「NASAが開発したというすごくよく眠れる枕があるんですけど、ご存知ですか？」

（今度ディズニーに行くという人に）

「ディズニーマニアの友人に穴場の写真スポットがあると聞きまして」

もちろん、知っていることをただひけらかすのでは、単なる「うんちく好き」な人になってしまいますから、相手の興味を見極めたうえで、このような実用的な知識を伝えていくようにしてください。

なお、こうした知識を提供するには、自分でいくつか情報を確保しておかねばなりませんね。ということで、次項ではどこから情報を集めるべきか、例を挙げてみたいと思います。

一流のポイント

8／38

実益のあることを教えてもらえれば、イヤでも会話は盛り上がっていく

9 Yahoo!ニュースではなく、日経産業新聞

雑談力を身につけるための情報ソース

相手に情報を提供するには、自分が情報をつかんでいないといけない。これは、雑談をするうえでとても大事なことです。

では、どんなものをチェックすればよいのでしょうか？

ここでは、いくつかの例をお伝えしていきましょう。

働く人ならおさえておきたいニュース

日々研修をする中で感じることですが、最近、多くの社会人は新聞を読んでいません。私が行う研修に参加した20人が一人も読んでいない、なんていうときもあります。これは若手に限らず、ある程度の年齢の人でも同じです。ニュースは「Yahoo!ニュース」で済ませている、ということもよくあります。

時代の流れといえば時代の流れですが、そんな時代だからこそ、新聞は読むべきだと私は思っています。特に、会社員や公務員として働く人にはぜひおすすめをします。

たいていの一般企業の場合、会社の役員や部長クラスの人は、ほとんどが新聞を読んでいます。

そのような人からすると、

A「○○社と××社が合併したそうですね」
B「経営者が△△さんに変わるんですよね」
A「ああ、□□銀行の副頭取の方でしたよね？」

などといった会話ができない人には、大きな仕事を任せようなどと思えません。

もちろんサラリーマンだけの話ではなく、たとえば銀座のクラブのママは日経新聞の「人事欄」をよく読んでいるというのは知られた話です。人事欄はどこの会社の誰が社長になった、などが書いてある欄ですが、少しでも関わりのある人が異動になったりしたら、花を手配したりするわけですね。

ですから、勤め人はもちろん、そうした人たちとやり取りをする可能性がある人は、最低限が日経新聞。ただ、それでは相手に話を合わせるくらいで精一杯でしょうから、より質の高い情報を探すときには「**日経産業新聞**」がおすすめです。

日経産業新聞は専門紙ですが、手に入れやすく、その割に読んでいる人が少ない。さらに、さまざまな業界の情報がバランスよく載っていて難易度もちょうどいいのです。

さらに、雑誌でいえば『**プレジデント**』や『**日経ビジネス**』あたりをおさえておくと仕事の雑談にはちょうどいい情報が手に入るでしょう。

これに加えて、『**週刊文春**』『**週刊新潮**』などの週刊誌も1冊くらい読んでおくと大衆的な情報も入ってくるのでおさえておきたいところです。

では、テレビ番組はどうでしょうか。

私がおすすめするのは、NHKなどで時事問題を幅広く扱っている番組や、ビジネスものでは**「カンブリア宮殿」「ガイアの夜明け」**あたりをフォローしておいていただきたいところです。

また、生活情報ならば**「ためしてガッテン」**。健康などの身近な生活情報は誰とでも話ができるという点でおさえておくとよいですね。

自分の得意分野を磨く

と、今言ったところまでできて、「中の上」。

さらにレベルを上げていくには、こうした一般的な情報に加えて、「自分の得意分野」の知識を蓄える情報源を持っておきたいところです。

たとえば私の場合は、「CNN」で国際的なニュースを拾ったり、仕事柄、心理学やコミュニケーションについての書籍を読んだりしています。さまざまな専門家のブログなどをフォローするのもありですね。

もちろん、すでに多くの方も自分の得意領域を持たれているのですが、マニアックすぎたり、オタク的な趣味だったりと偏《かたよ》りがちで、「相手にうまくハマらないとまったく意味がない知識」になっていることが多いのです。

そうした傾向がある人は、まずは「自分の仕事」に関連する情報をインプットする機会を持つことをおすすめします。

別の業界、別の分野の人と出会ったときなどに、**「その業界で働く専門家」として話ができると、信頼感につながる**のです。

もちろん、スポーツや芸能、健康など、多くの人が関心のある話題を身につけておくと、誰が相手でも話が盛り上がりやすくなります。

細切れの時間でもインプットはできる

……と、こんな話をすると「そんな時間が取れない！」と言われてしまいそうです。それはそのとおりだと思います。

そこで私の場合は、テレビ番組は録画しておいたものを2倍速で観ることにしています。番組の端から端まですべてを通して観る必要はなく、あくまで「自分がほしい情報」が手に入ればよいわけです。

その点、テレビ番組にはそれぞれの番組ホームページがあります。ここでは、過去に放送された番組の内容が掲載されていることも多いですから、これを移動時間などにチェックする、という方法もよいでしょう。

また、雑誌なども「今から30分間はインプットの時間」と決めて、朝に集中して読んでいきます。その中で気になった記事に付箋《ふせん》を貼ったりマーカーを引いたりして、携帯電話にメモをするのです。

新聞だって毎日読まなくても、1週間に一度まとめて読む、でもよいでしょう（ただ、タイムリーな話題だけは拾っておきたいところですね）。

めんどうくさく聞こえるかもしれませんが、結局は慣れの問題です。一度始めてしまえば、そこまで難しいことではありません。

といってもなかなか重い腰は上がらないと思うので、まずは、**拾った情報を誰かに披露して、「ウケる」「盛り上がる」という体験をしてみてください。**

とてつもない快感が得られるでしょう。

そうすると、これらの作業が苦でなくなってくるはずです。

一流のポイント
9／38

どんな人にも対応できる引き出しを持っていると、その人は「一流」に見えてくる

雑談ゼミ2
知識があっても うまく話せないのはなぜか？

インターネットがあることで、人は情報をうまく効率的に集めることができるようになってきました。

しかし、たくさんの情報に一瞬でアクセスできるようになった一方、いざ雑談となると、その教養をうまく披露できない……ということがよくあるのではと思います。

「一つのテーマを話すには３回練習が必要」と申し上げたように、頭の中ではわかっていても、人に伝えるのは簡単ではありません。

わかったつもりになっていたけど、実は理解できていなかったことがポロポロと出てくるからです。

たとえば、青色ＬＥＤの研究でノーベル物理学賞を受賞した赤崎教授、天野教授、中村教授のお三方がいらっしゃいますが、ではなぜ青色LEDが受賞したのか、今までの電球と具体的に何が違うのか、今後どのような分野に応用されていく可能性があるのか……など、これくらいの話ができないと雑談というのは広がっていきません。

また、ダラダラと話さず、コンパクトにまとめる技術も必要になってきますし、相手によっても興味を持つところが違いますから、そもそもノーベル賞とはどういうものか？ノーベル賞を受賞すると賞金はどれくらいもらえるのか？そのお金はどこから出ているのか？など、関連した知識もおさえておけると雑談の幅はさらに広がっていくでしょう。

一つの話から枝葉を伸ばすように、関連した知識を身につけ、人に話をしながらチューニングしていく。この作業が「話力」を高めていってくれます。

第3章

思わず心を許してしまう聞き方

三流は、人の話をまったく聞かない
二流は、聞いたふりだけうまい
一流は、相手が気持ちよくなる聞き方をする

10 なるほどですね、そうですね、は「話を聞いていない人」の反応

相手の共感を呼ぶうなずき方

さて、「話し方」のコツをいくつかお伝えしたところで、この章からは「聞き方」について見ていきましょう。

うなずき方や質問の仕方など、雑談をうまく広げるには、相手に対する「聞き方」が非常に大切です。

たとえば質問の仕方一つでその後の会話の広がりが変わってきますし、何よりも人は「自分の話を聞いてもらえると安心する」「嬉しくなる」生き物です。

自分が話すことだけに気を取られるのではなく、聞き方を洗練させていくことで雑談の質、コミュニケーションの質が高まっていくのです。

おおまかな目安としては、トータルで自分2：相手8くらいの会話量を目指すといいとよくお伝えしています。それくらい「聞く」ことは大事なのです。

この項では、聞き方の初歩として、まずは話を聞いているときの「リアクション」から見ていきましょう。

聞いているのか、聞いていないのかわからないような受け答えはNG

「あ〜、なるほどですね！」

「そうですね」

人と人とがコミュニケーションを取る中でよく耳にするリアクションです。

結論からいくと、このようなあいづちはできるかぎり避けてください。相手によっては不快感を与えてしまうフレーズです。

たとえば、トヨタのような大きな会社の役員の方と商談をするとしましょう。彼らとの話の中で「あ～なるほどですね」などと言ったら、その時点で商談終了です。

相手が思わず話したくなるようなあいづちをして、相手に気持ちよくなってもらう。雑談（特にビジネスが絡んでいたり、自分が相手に何かしてほしい場合の雑談）では、とても大切になってきます。

その点、この「なるほどですね」というのは何だか違和感のある言い方で引っかかりますし、「そうですね」というのは、話を本当に聞いているのか？と不信感を抱かせてしまうでしょう。

あいづちの「さしすせそ」

では、具体的によいあいづちとは何か、考えていきましょう。

大事なのは、その話を受けて「自分はどう感じたのか」を相手に伝える言葉を選ぶということです。

研修では「さしすせそ」のあいづちといって、次のようなものを紹介しています。

「さ＝さすがですね」
「し＝知らなかったです」
「す＝素敵ですね」
「せ＝センスがいいですね」
「そ＝それはすごいですね」

もちろんこれにならう必要はありませんが、共通するのは、「**相手の話に価値がある」というリアクションを取る**ということです。

もちろんただ言うだけではダメで、何よりも大切なのは、しっかりと話を聞いて、言葉や動きに情感を込めることです。つまり、「ああ、この人はちゃんと話を聞いてくれてるな」と相手に感じてもらうことがゴールになります。

たとえば、「すごいですね」も、冷めたトーンで「すごいですね……」などと口にすれば、それは途端に皮肉めいた響きに変わってしまいます。
深く納得している、相手の言葉が響いている、という姿勢が大事なのです。
ですから、相手の顔をきちんと見ながら聞くことも大切です。
まずは、そんなところから見直していきましょう。

一流のポイント
10／38

うなずき一つで相手を気持ちよくさせられる

11 ソフトに見つめてテンポよくあいづち

相手の目を見て、ペースに合わせる

リアクションの大切さをお伝えしていますが、そもそも、「人の話にうなずかない人」がたまにいます。これは、コミュニケーションでは絶対にやってはいけないことです。

「話を聞いていない」「話を理解していない」のどちらかに捉えられる可能性が高いので、前提として人の話はうなずきながら聞くもの、ということを覚えておきましょう。

ではそのうなずき方ですが、うなずきは、つい無意識にやってしまうものです。自然に癖がついてしまっているのですね。

見直すべきポイントは、目線とうなずくタイミングです。

まず、**基本的には話している相手の目をずっと見るようにしてください。**

目を見るのが苦手なら、ネクタイのあたりを見ていれば大丈夫です。あるいは、眉間のあたりを見てもいいでしょう。

絶対に、目を離してはいけません。

とはいえ、じーーーーっと観察するように見つめられると相手も気持ち悪いので、あくまでもソフトに、おばあちゃんが孫の話を聞いているときのようなスタンスを心がけてみてください。**目に力を入れない、目尻をやわらかくしたソフトな表情です。**

その中で、相手の話すスピードや間の取り方などを見ながら、うなずきのテンポをつかんでいきましょう。

たとえば、言葉数の多い人なら小刻みにうなずくことが大切ですし、間《ま》が多めの人なら一つひとつのうなずきを深くしましょう。

また、その人が力を込めて語っているところにはより強いうなずきをして、どうでもいい場所でうなずかない、というメリハリもポイントです。

うなずき方にバリエーションを持つ

うなずくときの言葉ですが、ワンパターンではなく、バリエーションをたくさん持つようにしてください。たとえば、

・「ああ～（小刻みにうなずきながら、腹に落ちていること、深い共感を示す）」
・「へぇ～（眉を少し上に動かし、驚きをあらわす）」
・「はいはい（抑揚をつけて、理解している、納得している、という表情をしながら）」
・「ええ（冷静なトーンで、理解している、聞いているという表情をしながら）」
・「お～……それは、さすがですね（相手の話のオチや大事なところで）」
・「う～ん、それはすごい！」

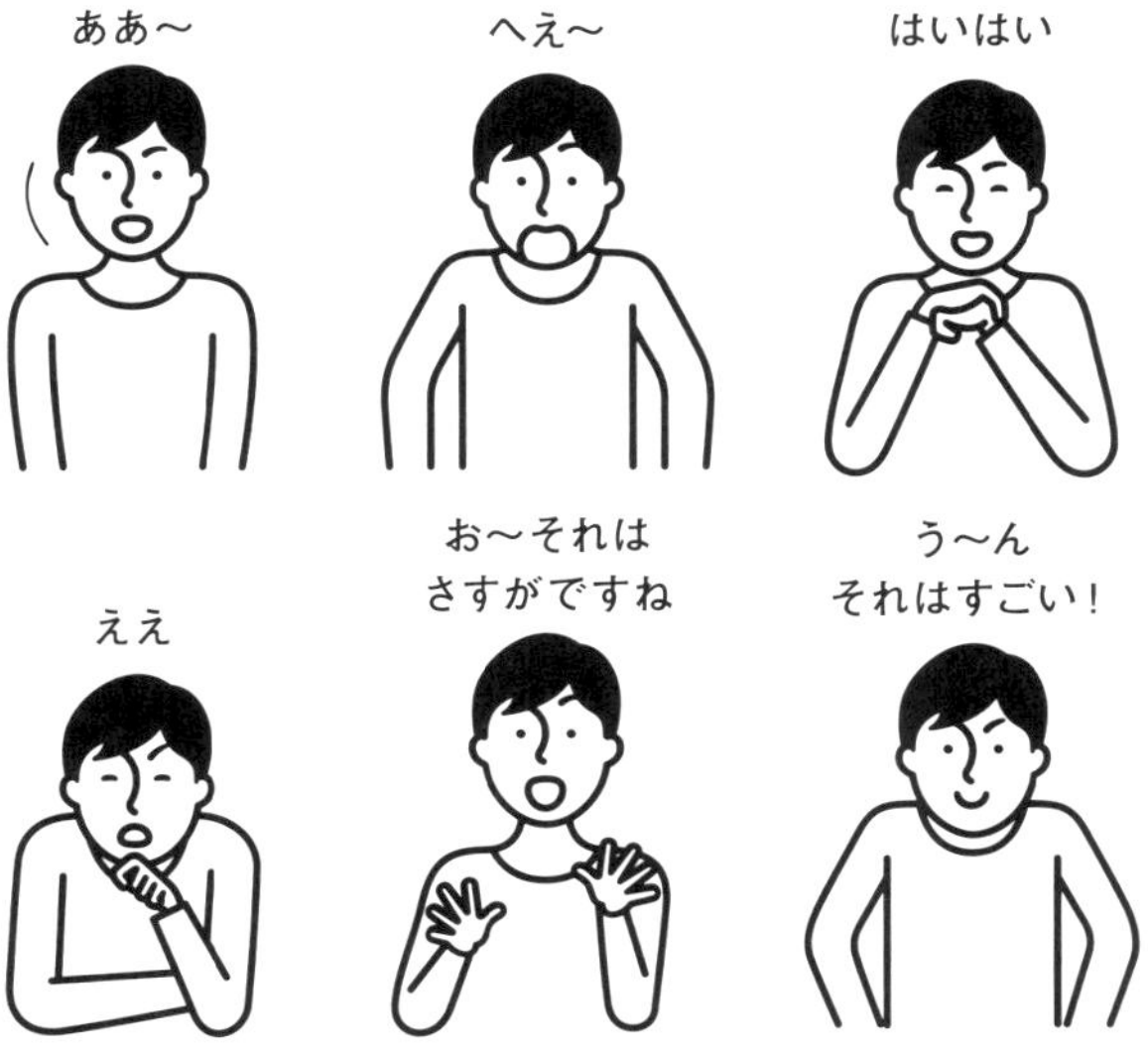

など、場面や話の内容によって反応を変えることを心がけましょう。

ただ、いくらバリエーションがあったほうがいいとはいえ、「うん、うん」といったあいづちは、間違っても目上の方、フォーマルな場などでは使わないでください。

この練習場所として最適なのは、上司のいる飲み会などでしょう。相手に敬意を持って真剣に話を聞いていれば、雑なあいづちは自然となくなっていくものです。

一流のポイント

11／38

おもしろいと思いながら聞けば、本当におもしろくなってくる

⑫ 「そうですね」で会話を止めず、「ひと言足して」返す

連想ゲームのように会話をつなぐ

会話を広げるための「連想」と「オウム返し」

前項、「なるほどですね」「そうですね」はよくないあいづちだと言いましたが、これには何よりも大きな理由として「会話を止めてしまうから」ということがあります。

雑談をうまく広げていくためのコツは、連想ゲームのようにして会話をつないでいくことです。

相手の言葉からどんな受け答えができるか、話題を変えたり、深めたりします。

たとえば、

ダメなあいづちの例

B「消費税の増税が先送りになりましたね」
A「そうですね」

せっかく相手が話をふってくれたのに、ここで話が止まってしまいます。
この場合、

よいあいづちの例

B「消費税の増税が先送りになりましたね」
A「どっちみち10％になるのでしょうから、備えをしておかないとなりませんよね」

——などと返せば、相手も「御社は何か対策を考えておられますか？」などと言葉を返しやすく、話が続いていきやすくなります。

大切なのは、「消費税」というキーワードで思考ストップせず、これを元にどう話を広げていくのかを連想することです。項目(3)「『ノープラン雑談』から『オチのある雑談へ』」でお伝えしたように、雑談のゴール地点を設定しておくと、コメントに困りません。

その作業をしないでいるから、「そうですね」で流れをせき止めてしまうのです。

ちなみに、この場合の受け答えとしては

・「これ以上あがると、家計がとんでもないことになりそうですよ」
・「8％と10％だと体感が違いますよね」
・「これでも世界では安いほうらしいですけど、たまったものじゃありませんよね」

などといったものでもよいでしょう。あくまでも雑談ですから、かたすぎる必要もないのです（もちろん、時と場合によりますが）。

オウム返しで相手の話を促す

では、相手の話題がこちらの知らなかったキーワードだったり、詳しくない分野だったりした場合、どうすればいいでしょうか？

こういうときに流れを止めないテクニックとしては、「オウム返し」があります。

その名のとおり、相手の言葉と同じことを伝えるのです。

B「この前、マラソンの大会に出たんですよ」

A「えっ、大会に出られたんですか」

と、このような受け答えも間違いではありませんが、100点ではありません。

オウム返しのポイントは、質問形式で返すなどして、話が広がりそうな言葉を付け加えることです。

Ｂ「この前、マラソンの市民大会に出たんですよ」
Ａ「えっ、大会に出られたんですか、**フルマラソンですか？**」

といった具合です。

オウム返しをすることで相手が詳細な説明をしてくれたり、オウム返しをしている数秒の間に何か会話が広がるような質問を考えることができますので、とても使えるテクニックです。

一流のポイント 12／38

相手が返しやすい球を投げる

13 つい話したくなるフレーズ「何か特別なことをされているんですか？」

話してもらうきっかけをつくる質問

前項の最後に少しふれましたが、「質問」は雑談を広げるための最重要と言ってもいい大事なポイントです。よい質問ができれば会話を一気に深くすることもできます。そのテクニックについて、いくつか見ていきましょう。

話し手が自然と語り出してしまう質問

会話を広げる、相手に気持ちよくなってもらう、そのために私がおすすめしたい質問フレーズがあります。

それは、**「何か特別なことをされているんですか？」**というもの。

先日、女性社員にプレゼントを買おうと、デパートの化粧品売場にいました。

商品を選びながら店員さんと簡単に話をしていると、ふと「お客様、失礼ですがきれいなお肌をされていますよね、何か特別なケアをされていらっしゃるんですか？」と聞かれました。

その瞬間、「これは一流の店員さんだ」と思わざるをえませんでした。

というのも、私のひそかな自慢として、実年齢より肌年齢がかなり若いことがあります。

人前に立つ仕事ですから、顔や手の肌には気をつけているのです。つまり、化粧水などには元々こだわりがあるからこそ、いい歳をした男が化粧品売場にいるわけですね。

店員さんは私のアピールポイントに気づき、仮にお世辞だとしても「肌の自慢をしたい」という欲求を刺激するひと言をいってくれました。

私も単純ですから、そこからはもうその店員さんのおすすめの商品をひと通り試し、結果一番高いものを買うという「鴨《カモ》がネギを背負ってやってきた」ような状態でした。

たいていの店員さんというのは、マニュアルどおりの説明、つまり自分が話したいことだけで終始するので、客の立場としてはうざったいものです。ところが、この店員さんは相手をきちんと見て、状況を見て言葉を変えられるという雑談力がきちんと備わっていました。

何が言いたいかというと、人は髪型を変えたり、こだわりのアイテムを身につけていたりすると、そのことに気づいてほしいという欲求を抱く生き物です。**自分が生活の中でがんばっていること、こだわっていることを褒められれば、誰だって嬉しい**わけですね。

そういうときに、「何か特別なことをされているんですか?」というフレーズは相手の欲求を刺激してくれます。

「いや、別に特別ということでもないんですが……」と、まんざらでもない様子で話してくれるでしょう。

「何か特別なことをされているんですか？」の使用例

A「今年の冬は冷えますねぇ……私は気温が低いと体調を崩しがちなのですが、Bさんはお忙しいのにとてもお元気そうですね」
B「そうですか？　ありがとうございます。風邪はたしかにひかないほうですよ」
A「それはうらやましい！　何か特別なことをされているんですか？」
B「そんなに特別なことはしていないですが、日頃から運動をするのと、食事には気をつけているほうかもしれませんね」

……と、このように会話が展開すれば「どんな運動をされているんですか？」「食事方法ですか、ぜひお教えいただきたいです」などと、会話が広がっていきます。

重要なのは欲求や興味を刺激するポイントに気づくことです。

好きなことや長所を語るとき、人の表情は明るくなります。何かキーワードを発したときの相手の表情をよく見てみてください。

また、身につけているものも、「スーツのラインがきれいでおしゃれに気をつかってい
るオーラを持った人」、「他はそうでもないのに、時計だけ気合いが入っていそうな人」、「ネ
クタイの柄が他とちょっと変わっている人」など、探せばいくらでもあるものです。
そうして個人的な話をしてもらうことで、人間関係の距離は一気に縮んでいきます。

一流のポイント
13／38

相手のひそかな自慢や他とは違うことに気づき、それを言葉にする

14

相手のバックグラウンドや思いを深掘りできる質問をする

空気をよくする質問と悪くする質問

質問というのは簡単なようで難しく、やり方を間違えると「とんちんかんな人」「頭の回転が悪い人」「空気が読めない人」など、悪い印象を決定づけてしまいます。

しかし、そのコツをつかんでしまえば誰が相手でも会話が怖くなくなる、というのも大きな事実です。

ここでは、どのような質問をすると会話が効果的に広がっていくのか、実例を使いながら解説をしてまいりましょう。

意図のある質問とない質問

まず、次の会話は「仕事ができる人」として有名なBさんとの打ち合わせでの雑談、という設定です。

最初は、「ふつう」の雑談を見てみましょう。

できるビジネスマンとして有名なBさんとの会話（before）

A「週末の3連休中、Bさんは何をされていたんですか？」

B「家族と釣りに出かけましたよ」

A「**釣りですか！ いいですね。どこに行かれたんですか？**」

B「伊豆のほうに行ってきました」

A「伊豆ですか、何を釣りに行かれたんですか？」

B「タイ釣りですね」

A「船で釣られたんですか？」

B「そうですね、船に乗って」

A「どれくらいの大きさの船ですか？」

……と、一見悪くない会話のようにも見えます。

が、釣りに詳しいならまだしも、あまり詳しくない人、興味のない人がこのように雑談を広げると、「特に意味のないムダ話」になってしまうのです。

この会話例でいえば、「何を釣りに行ったのか？」「船で釣ったのか？」「どれくらいの大きさの船なのか？」など、ただ間《ま》を埋めるための質問をしています。

こうした質問攻めが続くと、相手としては、まるで尋問をされているような印象を受けてしまいますし、何より質問しているほうが興味のない話題なわけですから、会話が一向に盛り上がりません。

こうしたやりとりは、最終的には「手詰まり」となって会話を止めてしまいます。すると、噛み合っていない空気が生まれてしまうのです。

では、どう改善すればいいのでしょうか？

たとえば先ほどの会話の分岐点でいえば、「釣りですか！　いいですね。どこに行かれたんですか？」という質問です。

Aさんが「釣り」を深掘りできる知識があればもう少し盛り上げられたかもしれませんが、特に詳しいわけではない。この場合、そもそもボールを打ち返す方向を間違えているのです。

大事なのは、「Bさん」という人がどういう人か、ということ。つまりBさんのバックグラウンドやその人が持つ特性に注目することです。

この場合、Bさんは「仕事ができる人で有名」という前情報がありました。

有能で、きっといつも忙しく働いているBさんが「家族と釣りに行った」というのですから、これはなかなか意外性のある事実ではないでしょうか。

だとすれば、たとえば次のようにしてみてはどうでしょうか。

できるビジネスマンとして有名なBさんとの会話（after）

A「そういえば3連休中、Bさんは何をされていたんですか？」
B「家族と釣りに出かけました」
A **「へぇ、ご家族と！ Bさんはバリバリとお仕事をされていると伺ったので、ちょっと意外でした。ご家族との時間は取られるようにされているんですね？」**
B「ええ、実は平日はなかなか子どもにも会えなくて。だからせめて休日は家族サービスを心がけているんですよ」

といった感じで、Bさんのビジネスマンとしての印象とは異なる「家庭」というポイントに目をつけると、意外な一面が見えてきたり、相手の持っている価値観がわかるかもしれません。

また、子どもがいるとわかれば、別の機会に「そういえば、この時期お子さんはもう夏休みですか？」などと聞くこともできますよね。

このように、意味のある質問にするためには、常に相手を見て話すことが大切です。

どのようなバックグラウンドを持った人なのか注目しながら会話のポイントを拾ってい

くようにすると、会話が深まり、相手との距離を縮めていくことができます。

では、もう一つ練習問題を出してみましょう。

30代半ばの男性、Bさんとの会話

A「とても素敵な時計をされていますね」
B「ああ、これですか、いえいえ、別に大したものじゃありませんよ」

……さて、ここからどのような質問をすると、会話が盛り上がりそうでしょうか？

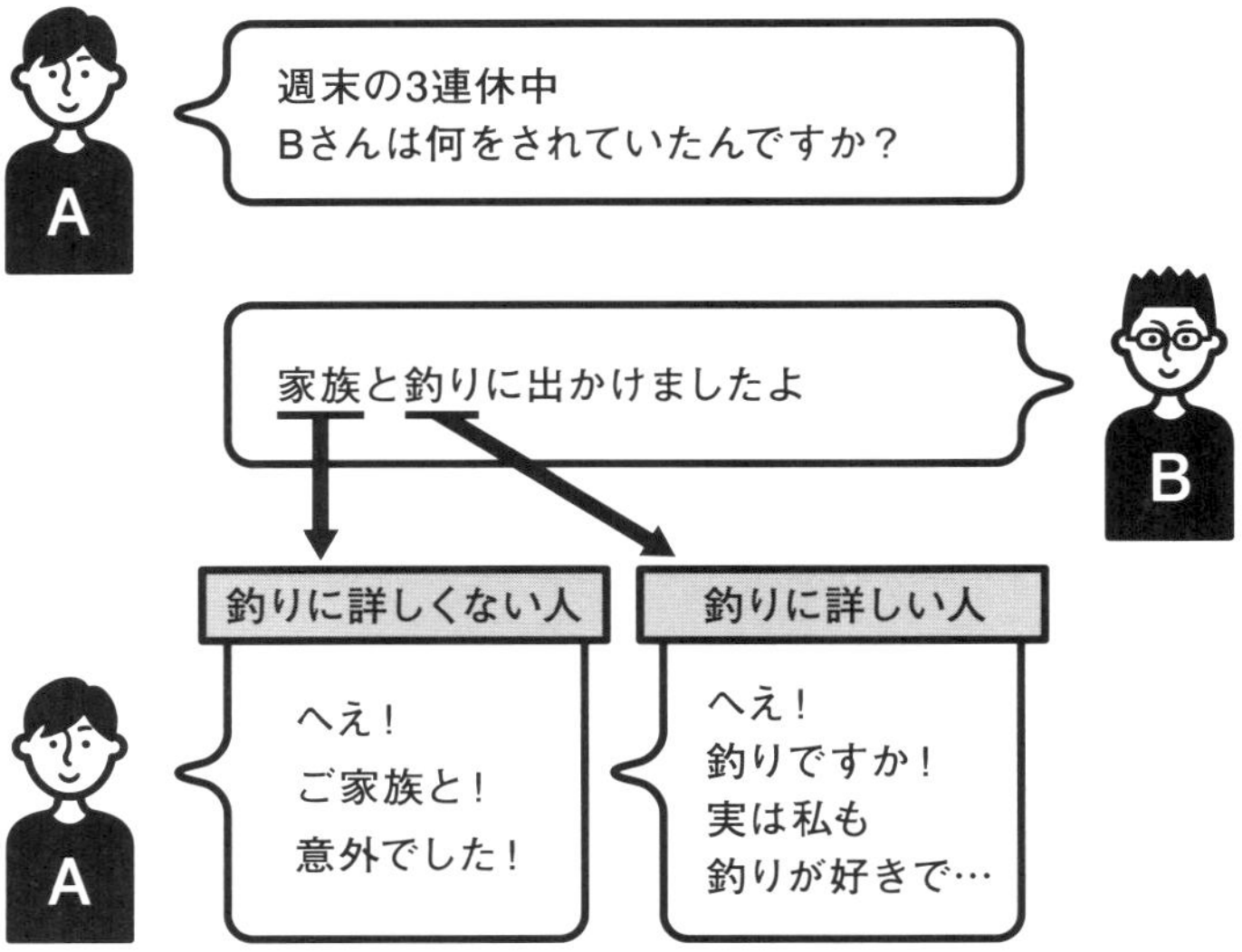

週末の3連休中
Bさんは何をされていたんですか？
A
家族と釣りに出かけましたよ
B
釣りに詳しくない人
釣りに詳しい人
へえ！
ご家族と！
意外でした！
へえ！
釣りですか！
実は私も
釣りが好きで…
A

・「ずいぶん高かったんじゃないですか？」
・「どちらで買われたんですか？」
・「どちらのブランドですか？」

といった質問は思いつきやすいところですが、どれも釣りの例のように、あまり会話が広がらなさそうです。

この場合、たとえば次のような質問ができたら合格でしょう。

30代半ばの男性、Bさんとの会話

A「とても素敵な時計をされていますね」
B「ああ、これですか、いえいえ、別に大したものじゃありませんよ」
A「**そんな、とってもお似合いですよ。何か特別な時計なんですか？**」
B「いや、お恥ずかしい話、実はずっと欲しかったものなんですが、家内が誕生日に買っ

てくれまして……（笑）」

このようにすれば、会話に新しい展開が生まれそうです。

さらにこの会話を広げる質問として、

・「それは素晴らしい奥様ですね、うらやましいです。ご結婚されて長いんですか？」
・「それは大切なものですね、いつ頃から目をつけられていたんですか？（笑）」

……などなど。より距離の近い会話をしていくことができるでしょう。

もちろん「どちらのブランドですか？」と聞くのもよいのですが、ただブランドを聞くだけでは芸がありません。「どちらのブランドですか？ **ご自分で選ばれたのですか？**」などと、ひと言「ちょい足し」することで会話は広がりやすくなります。

たとえば時計のようなモノならば、できるだけ「**モノそのもの**」**ではなく**「**モノを持っている人**」**に話題をフォーカス**できると、そこに込めた思いやストーリーなどが聞けるでしょう。

どのような質問が効果的なのかはケースバイケースなこともあり、思わぬところから会話が広がることはよくあります。

ただし大事なことは、何も考えずにポンと質問しないこと。

「この質問をしたら、どんな返答が返ってくるか」ということを最低限シミュレーションする癖をつけてみてください。

一流のポイント

14／38

意図のない質問では会話はまず、盛り上がらない

相手の趣味が野球だとわかった場合

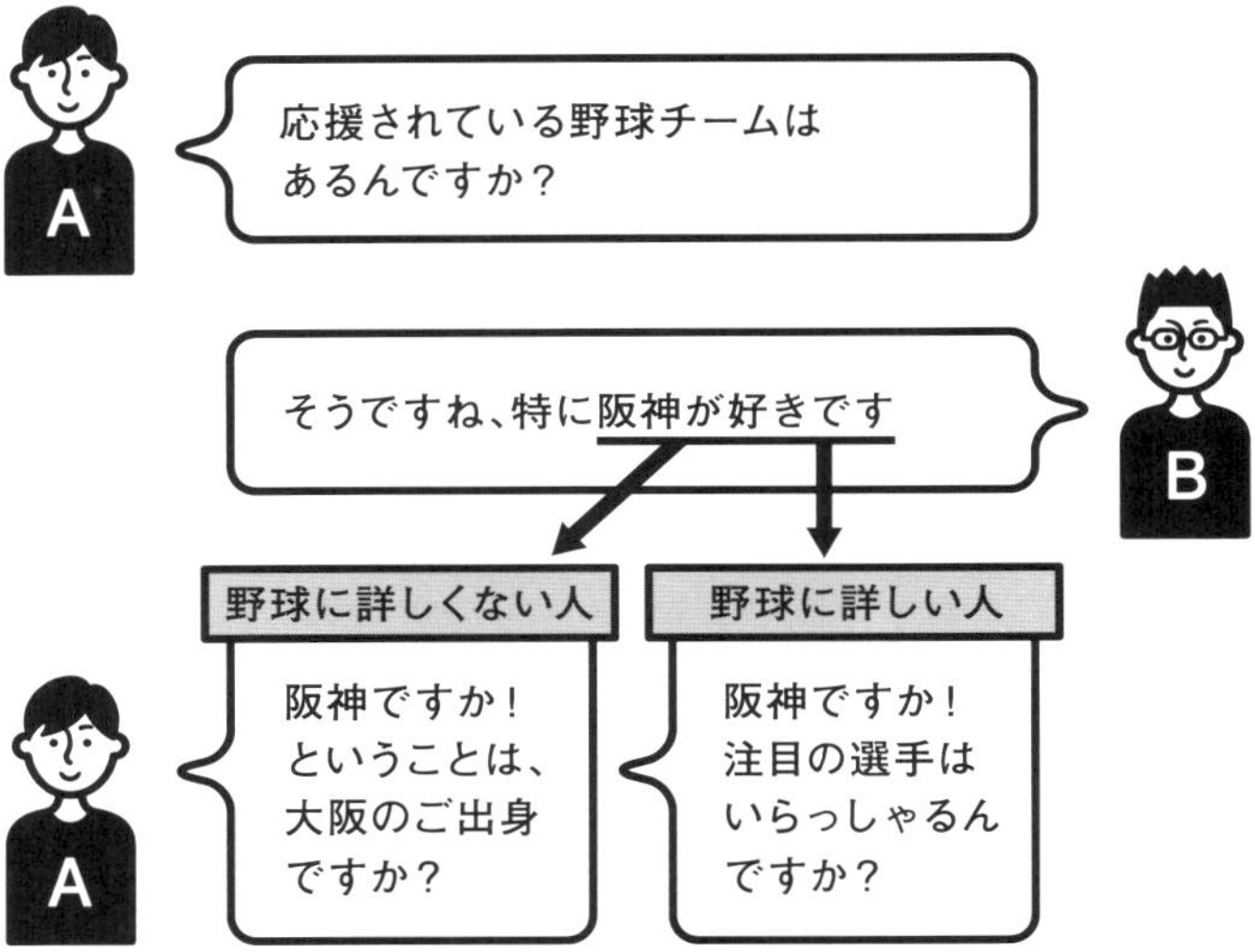

⑮「なぜですか？」は愚問

雑談でしてはいけない質問

「うまい質問」はケースバイケースなことも多いのですが、一方で「ヘタな質問」にはわかりやすい決まりがあります。

その一つが、「なぜですか？」と理由を問うような質問です。

何が問題なのでしょうか？ まずは例を見てみましょう。

40代の男性、Bさんとの会話

A「今朝の日経を読んでいたら、中国の○○社が日本の××社を買収したそうですね」

B「ああ、私も見ましたよ。本当に勢いがありますよね」
A「本当ですよね、**なぜ中国はこんなに勢いがあるんでしょう？**」
B「う〜ん……そうですねぇ……やっぱり政府の力が強いんですかね」
A「そうですよねぇ……」

この会話、別に入りは悪くありません。

Aさんのふった話題に、Bさんが比較的いい反応を示してくれました。

しかし、なぜ中国の勢いがあるのか、その理由を聞いた途端、流れが止まってしまっています。

理由を問うのがなぜよくないかといえば、このように会話の流れが止まってしまう可能性が多々あるからです。

「なぜか？」を考えるのは人間にとって大きな負担になります。

さらに、知識のレベル差もありますから、その質問に答える知識がないと当然ながら相手も困ってしまうのです。

またもう一つの理由として、言葉そのものが持つニュアンスとして、「なぜ」という言葉には圧迫感があります。これは日本人の感覚的な問題ですが、ちょっと窮屈で相手にプレッシャーを与えるような質問なのです。

ですから、雑談の中で「なぜ？」という質問は避けるようにしてください。

ただし、教養のレベルが高い相手、その分野に詳しい人に対して、あるいは会話が深まってきた場合は「アベノミクスでよい効果は出るんでしょうか」「錦織選手はどうして急に強くなったんでしょうねぇ」と投げかけるのはありでしょう。

相手を見ながら質問のレベルを使い分けます。

一流のポイント
15／38

相手に負担をかけないコミュニケーションを取る

16 知ったかぶりは「テキトー」な印象、能動的な質問は「誠実」な印象を残す

知らない話題に出会ったときの聞く技術

雑談をする中では、自分があまり詳しくない領域の話、まったく知らない話題が出てくることもあります。

そのようなとき、どうすればいいのでしょうか？

それはとても単純な話で、**知らなかったら聞けばいい**のです。

一番まずいのは、「知ったかぶり」「わかったふりをしてやり過ごす」といった対応で、これは話をしていれば、だいたい相手にも伝わります。

そしてこれは、「いい加減」「テキトーな人」という悪い印象につながります。

ですから、わからないことは聞く。これが基本のスタンスです。

ただ聞くのではなく、自分の見解も伝える

ただし、聞き方にもポイントがあって、まずは聞き方自体の問題です。

「すみません、〇〇って何ですか？」とストレートに聞くのでは、無知な印象を与えてしまうので、

「勉強不足で恐縮なのですが、今おっしゃっていた〇〇というのは、どういうものなんでしょうか？ ××のようなものなのでしょうか？」

などと、丁寧に質問することに加え、**自分の解釈や意見、あるいは関連しそうな情報を足してたずねることです。**

そうすることで、「話を聞いている」「理解しようとしている」という能動的な姿勢が伝わり、印象がよくなります。

相手の答えに対しては「要約」して応える

続いて大切なのは、こちらが質問したことに対して相手が答えてくれたとき、どのように反応するかです。

話を聞きながらメモを取ったり、図にまとめてみたり、「○○ですか」などとオウム返しをするのもよいテクニックです。

そして最も大事な点としては、最終的に自分なりの要約を伝えることです。

- **「つまりたとえるなら、○○のようなものでしょうか？」**
- **「ということは、××ということですか？」**
- **「私の業界でいう△△のようなものなんですね」**

などと、たとえや置き換えなどを使い、自分の理解の度合いを相手に伝えます。

ちょっとしたことですが、こうしたひと言が「頭の回転が早い人」「話をよく聞いてくれる人」というよい印象を残してくれます。

一流のポイント
16／38

たずねたうえで、理解したことを伝える

17 会話が終わったらすぐにメモを取る

記録用の雑談ノートをつくる

一流といわれるようになる人と、「ふつう」で終わってしまう人にはさまざまな差がありますが、大きな要素として「ふり返りができるかどうか」があります。

行動の反省と改善、繰り返しの練習、テストでいえば見直しですね。

雑談の力を伸ばすためにぜひ行っていただきたいのは、雑談ノートをつけることです。

特に、仕事などで外の人と接する機会を持っている人には、「必須」といってもいいくらい重要なことです。営業マンであれば、これをやるだけで成績はすぐに上がっていくと思います。それくらい大切なメソッドなのです。

とはいえ、これもそんなに大したことではありません。

その日に人と出会って会話をした直後、何を話したか記録をする。要は、何を話したのか覚えておくためにメモを取りましょう、ということです。

「趣味」「年齢」「出身地」「家族構成」「血液型」……何でも構いません。次に会ったときのために、記録をしておきます。

私は最初の雑談で盛り上がったことや、教えていただいたことなどをメモします。

昔は大学ノートを使っていましたが、今は携帯電話がありますから、基本的にiPhoneにメモをしています。

うまく管理ができるのであれば、名刺の裏に情報を書き込むのでもよいでしょう。

そもそも、なぜそのようなふり返りをしなければならないのか?

それは、このあとの5章のテーマでもありますが、たいていの人は**1回目のコミュニケーションでせっかく距離を縮めることに成功しても、2回目でその関係性をリセットして、また初めから関係をつくり直すことが多い**からです。

そうならないために、距離をさらに縮めるのに必要な情報を覚えておく。そのための雑談ノートということです。

ちなみに私は、録画したテレビ番組や新聞などを見聞きしているときも、気になったことがあるとすぐに iPhone にメモを取るようにしています。

そして、移動中などにそのメモを見返して、社員などに話してみて、仕事の雑談でも使えそうか反応を見ます。

こうしたアウトプットの練習ができていない人は、毎日気になったことをメモする習慣をつけてみてください。

毎朝の通勤中にメモを確認して、朝最初に出会った人に、その内容を話すような習慣ができれば、間違いなく雑談力は上がっていくでしょう。

一流のポイント

17／38

ふり返りができる人は強い

雑談ゼミ3

「聞く」のは「話す」より３倍労力がいる

私は雑談の内容をメモするだけではなく、録音もすることがあります。

この章で見てきたように、聞くというのは実は大変な作業です。聞くのは、話すよりも３倍の労力がかかると言われています。

会話が長くなれば、必然的に「聞き漏れ」なども生まれるのです。

その点、音声で確認すれば聞き漏れはもちろん、会話の流れはよかったかなど、自分の話し方を反省するためにも使うことができます。

私はたいてい2回聞くようにしていますが、2回も聞くとだいぶポイントがよくわかってきます。そうすれば、相手のことを忘れるということはまずありません。

あからさまにＩＣレコーダーで録音するわけにはいきませんが、今はスマートフォンのアプリにレコーダーがあるので、打ち合わせや会議、商談などが始まる前にこっそりと起動しておけるでしょう。

別にどこかに情報を流すわけでも、悪いことに使うわけでもなく、あくまでも自分のために使うものです。

できることは何でもやる、この姿勢が「ふつう」と「一流」、一流のさらに上の「超一流」をつくる差になっていきます。

第4章

出会ってすぐに距離を縮める方法

三流は、人に嫌われて帰り、

二流は、すぐに顔と名前を忘れられ、

一流は、たった1回の雑談で親友になれる

18 人は出会って2秒、1万4000の要素から第一印象を決める

不潔・ダサい人とは会いたくない

コミュニケーションでは、ちょっとした言い方や動作など、ほんの少しのことで相手に与える印象が変わってきます。

誰とでもすぐに仲良くなれる人と、なかなかそうなれない人がいますよね。

この4章では、どうしたら人と距離を縮めることができるのか、コミュニケーションがうまい人はどのようなアクションを行い、どのような言葉を選んでいるのか。上手な距離の縮め方について見ていきましょう。

ふつうの人の、ふつうの顔

まず、この写真をご覧ください。

どう感じられたでしょうか？

「何だかぶすっとして感じが悪いなぁ」と思われなかったでしょうか？

しかしおそらく、みなさんが街を歩いている様子、ふだん生活しているときの表情を不意打ちで撮影すると、これとほぼ同じ表情になっています。

いや、そんなバカなと思うかもしれませんが、実に多くの人が、このような暗くて覇気のない顔で通勤し、出社し、仕事をし、人と会っているのです。

どれだけやさしくても、頭がよくても、このような顔をすることで非常に大きな損をしています。**いかに人格が素晴らしくとも、能力が高くとも、そのことが見た目にあらわれていなければ、人には伝わらないのです。**

アメリカの心理学者、ティモシー・ウィルソンは「人は初めて出会った相手を、最初の2秒で値踏みする」と研究で明らかにしました。

人間は無意識のうちに、たった1秒間で1万4000もの視覚情報を取り入れて、「正直そう」「優しそう」「誠実そう」「頼りなさげ」「暗そう」といったおおよその印象をつくります。会った時点で、好き嫌いのだいたいの印象は決まる、ということです。

研修でも、仕事ができない人というのは研修ルームに入って来た瞬間の顔でわかります。もう、本当にだらしない顔なのです。

好かれる表情のつくり方

では、思わず好かれるようなよい表情とはどのようなものでしょうか？

具体的には、**話すときには上の前歯を6本以上見せて、口角を上げることを習慣にしてください。口を結んでいるときも、口角を上げることを意識します。**

すると、どんなことが起きるでしょうか？

同じ人物とは思えないほど素敵ですよね？
これが、人と接するときに心がけるべき表情です。こんな顔で話しかけられたら、なかなか雑に扱うことはできません。
たとえば営業マンや経営者、販売員など、人と関わる仕事をしている人はもちろんですが、その他の人間関係でも同じです。

表情が悪いということは、自ら好かれづらいオーラを発してしまっている、とてつもなく大きなハンデを背負った状態ということです。

私自身、この仕事をしながら表情を変えただけで人間関係・職場の雰囲気が変わった、とおっしゃる方を何人も知っています。表情、服装、身だしなみ、その威力をあなどってはいけません。

一流のポイント

18／38

家を出た瞬間から、口角を上げる

⑲ 「もりもりトレーニング」で食いつきたくなる話をする

ちょっと盛ると話は一気におもしろくなる

日本人は話がおもしろくない、とよく言われます。

では、話がおもしろくない人の特徴は何かというと、一つには、すでにお伝えしたように「どうでもいいことをダラダラと話す」ということですね。

この原因としては、文化や教育の問題もあるでしょうし、あるいは気質的に「まじめすぎる」ということが挙げられるかもしれません。

あった出来事を一から十まで正確に伝えようとすると、どうしても話はダラッとなるものです。

そんな人に私がおすすめしたいのは、「ちょっと話を盛る」ということです。

たとえば、

・「昨日、辛いラーメンを食べた」

という話をしたい場合、

A「昨日食べたラーメンがすごく辛かったんですよ」
B「どれくらい辛かったの？」
A「見た目が真っ赤で、まぁ食べられないほどではないんですけど、あんかけだったので熱が冷めなくて余計に辛く感じました」

と、事実ベースで話すとこのようになるかもしれませんが、ちっともおもしろくないですよね。「えっ、何でそんな話したの？」となってしまいます。

そこで、事実にちょっとだけ「盛って」話してみます。

A「昨日食べたラーメンがすごく辛かったんですよ」
B「どれくらい辛かったの？」
A「もう見た目から地獄のように（ちょいモリ）真っ赤なんですけど、さらにあんかけタイプになってて、これが食べ終わるまでずっと（ちょいモリ）冷めないんですよ。戦場に赴《おもむ》く兵士の覚悟で（ちょいモリ）完食してきました（笑）」

と、このようにすると人が聞いていられる話になりますね。

ちょっと盛るというのは、端的にいえば表現を大げさにするということです。

本当にあったことをベースに、それを着色するような表現を織り交ぜていく。そうすると話はおもしろくなりやすいものです。

話すきっかけをつくるときも、

・「昨日行ったカフェに美人店員がいた」
↓
「昨日行ったカフェに、思わず二度見するくらいの美人店員がいた」

・「海でサーフィンしている少年を見た」
↓「まるで映画のワンシーンのように波を乗りこなしている少年サーファーがいた」

など、こうすると「おっ、ちょっとおもしろそうだな、聞いてみたいな」と思いますよね。
これは仕事の営業トーク、販売トークなどでも使えるテクニックで、たとえば電話機のリースをする営業マンの例で考えてみましょう。

・先日、訪問先の会社で自社の電話機を導入してもらった

といった話も、

ちょいモリした話

「先日、営業先のとある会社の社長様に非常に驚かれまして（ちょいモリ）、電話機のリー

スを弊社に変更していただくことができたんです。
というのも、その会社が使われていたリース料より年間10万円安くなるんですよ。『えっ、そんなに安くなるの!?』と、感激されていた（ちょいモリ）くらいです！」

一流の人たちというのは、この盛りかげんが非常にうまく、決して嘘ではなく、事実をより魅力的に見せる方法を知っています。

最近あった出来事にちょっと盛ってみる練習をしてみてください。意外なほど、おもしろい話ができるようになるはずです。

一流のポイント
19／38

事実をより魅力的に見せる技術が、ちょいモリです

20 意見が食い違うときは、「うかつでした！」

相手の反論を受け流す

話が盛り上がってきたとき、不意に相手から反論や指摘を受けたとします。そのとき、正しい対応とはどのようなものでしょうか？

A「家を買うなら中古物件ですよね、郊外なら1000万円くらいでかなりいい物件がありますし」

B「いやぁ、それはどうですかね。耐震性とか、怖くないですか？」

A「……（そんな言い方されてもなぁ……）」

こうした反論や意見の食い違いが起きたとき、どうするのが正解でしょうか。

特に自分の得意分野や詳しいことでツッコミが入ると、「いや、そう思われると思うのですが」「お言葉ですが……」などと反論したくなるかもしれません。

しかし、それでは一流の対応とは言えません。

そんなときにぜひ使っていただきたいのは、「うかつでした！」というフレーズです。

仮に自分が正しそうな場面でも、「それはうかつでした！」と、相手の主張を飲み込むのが正しい対処方法です。

A「家を買うなら中古物件ですよね、郊外なら1000万円くらいでかなりいい物件がありますし」

B「いやぁ、それはどうですかね。耐震性とか、怖くないですか？」

A「あー、それはうかつでした！ たしかにおっしゃるとおりですね。ということは、Bさんは新築を建てられたんですか？」

などとむやみに争わず、論破しようとせず、「うかつでした！」で矛《ほこ》をおさめてください。

さらに、深追いせずに話題をずらしてしまうのがよいと思います。

私自身、この「うかつでした！」でかなりの回数救われてきました。

特に商談のように、明らかにこちらの立場が下の場合では妥協を迫られる場面もあるので、とても使い勝手のよいフレーズです。

一流のポイント
20／38

争わず、しなやかに受け流す

21 褒めるときは「つぶやき褒め」

相手から視線を唯一はずしてもいいタイミング

人の話を聞いているときは相手の目を見ながらうなずかないといけない。とお伝えしました。会話中、基本的に目線は相手の顔に向け続けるべきです。

ただし一つだけ、相手から視線をはずしていいタイミングがあります。

それが、相手を褒めるときです。

それも、大事な褒めどころ。「ここぞ！」というときにぜひ試していただきたいテクニックを紹介しましょう。

それは、相手からためになることを教えてもらったり、感動するような言葉をもらえたときに、**つぶやくように感想を言う、相手を褒める、という方法**です。

具体的なやり方としては、

1）あえて相手から視線をはずして、天井や宙《ちゅう》を見る

2）うなずいたり首を横にかしげたりしながら

3）**「いや〜さすがだなぁ、その視点はなかったなぁ」**

「何だか○○さんの話は落ちてくるんだよなぁ」などとつぶやきます。

あえて目線をはずす

冗談のようですが、この効果はなかなか絶大で、一気に相手との距離を縮めることができます。

もちろん、やりすぎては嘘くさいので、あくまでも自然に、本当にためになったなぁと思ったときに試してみてください。

一流のポイント
21／38

「さりげなく出る本音」を人は信用する

22

「ファンになっていいですか？」でハートを打ち抜く

会話の結びで好印象をさらに高める

心理学の言葉で、「初頭効果」、「親近効果（終末効果）」というものがあります。

「初頭効果」というのは、出会い頭の印象が記憶に残りやすいというもの。

一方の「親近効果」というのは、終わりの印象が記憶に残りやすいというものです。

つまり、最初と同じくらい、結びの印象は大切ということです。

よい終わり方をすることで、次回会ったとき、さらに距離を縮めやすい。そのチャンスという見方もできます。

では、具体的にはどのようにするといいかというと、「相手をメンターにする」という方法です。

メンターとは、師匠のこと。つまり、今日はいろいろと教えてくださってありがとうございました。本当に勉強になりました。ぜひ私の人生の師として、引き続き教えを請うていきたいです。……と、こんな気持ちを相手に伝えていくのです。

伝えるべきポイントとしては、

・相手が言ったことで、何に感動したのかを具体的に伝える
・そのことについて、また教えてほしいという意志を伝える

ということです。具体的なフレーズでいえば、

「本日はお時間をいただき、本当にありがとうございました。特に○○（具体的な内容）のお話、雷に打たれたような衝撃でした……」

そして最後に、

「○○さんのファンになっていいですか？」
「私のメンターになっていただけませんか？」

と、このように伝えることができると、相手に強い印象を残すことができるでしょう。

人間には、相手から伝えられた気持ちを鏡写しのように返そうとする「返報性の法則」というものがあります。つまり、**伝えられた好意は好意で返してあげたい**。そんなふうに思うのです。

相手は「そんな大げさな……」とちょっと思いつつも、しかし思わずほほをゆるめてしまいます。

特に、なかなか会えない人に出会えたときなど、「このチャンスを逃してはいけない！」という勝負どころで使っていただきたい方法です。

一流のポイント
22／38
終わりよければ、次もよし

雑談ゼミ4
億単位の取引が雑談で決まることもある

ビジネスの世界における「億単位」の取引というのは、役員による決裁が必要になる場合が多々あります。

つまり、大きな取引の「GO」と「NG」を最終的に決めているのは、会社の役員クラスであって、話を持ちかけた側としては、彼らといかに話をつけられるかどうかが最大の壁になってきます。

ですが、実際交渉のテーブルについたとき、意外とその内容はやわらかいものです。というよりも、ほとんどが「雑談」で終わることがよくあります。

1時間の商談のうち50分が雑談で、最後の10分で「そういえば今回の件なのですが、こういう話で……」と本題を伝える。たったそれだけのやり取りで契約が決まってしまうことが、稀《まれ》ではなく、よく起こります。

では、このとき何が行われているのでしょうか？

役員たちは、雑談を通して何を見ているのでしょうか？

それは、「この人物が本当に信用に値《あたい》するのかどうか」を、コミュニケーションの取り方、教養のレベル、ビジネスマンとしてのマナー、身だしなみなど、あらゆるところを雑談を通して「審査」しているのです。

というのも、役員は実際のテーブルにつくまでに商談の内容は（部下の報告などから）すでに心得ていますから、だいたいの方針は決まっています。

あとは、その判断が正しいのかどうかコミュニケーションで測る、ということなのです。

大手企業の役員ともなると、その態度は実に温和でやわらかなのですが、実はものすごく鋭い目をされています。笑顔にも関わらず、目の奥が光っているのです。

コミュニケーションはビジネスにおいてもそれだけ大切であり、人間としての総合力が試されるスキルです。

第5章

さらに距離を縮める二度目の雑談

三流は、会うたびに評価を下げる

二流は、一向に関係が進展せず悩む

一流は、会えば相手が笑顔になる

23

「この前教えていただいた○○、さっそく試させていただいたのですが……」

出会った人をメンターにする

この5章では、一度会った人にもう一度会うとき。「二度目の雑談」で気をつけたいポイントをお伝えしていきます。

まず前提として、多くの人はせっかく相手と縮めたはずの距離を、二度目に会うときには、それがまるでなかったかのようにふるまいがちです。

せっかくできかけていた関係性を自らリセットしてしまいます。

というのも、人は「距離感」をすぐに忘れてしまいます。時間が経てば経つほど距離は離れていくので、たとえば数ヶ月ぶりに会ったときも何となく気まずい感じになり、積極的にコミュニケーションを取りにいけません。

だからこそ、自ら積極的にいける人は強いのです。

多くの人ができていないからこそ、このちょっとしたスタンスの差で距離を縮めやすくなる。この章は、そんなことを前提に見ていければと思います。

「前回教えてもらったこと」にふれる

まず基本としてお伝えしたいことは、二度目に会ったときは、「一度目に会ったとき話したことに必ずふれる」ということです。

たとえば、このようなことです。

「先日教えていただいた『素晴らしき哉《かな》、人生！』、あのあとさっそくレンタルして観たのですが、素晴らしい映画でした。60年以上も前の作品とは思えないくらい新鮮な驚きがあって、教えていただいて本当によかったです！」

このようにして、前回どのようなことを聞いたか、それをふまえてどうアクションに起こしたか、実際に体験してみて何を感じたか、などを伝えられるようにします。

そして、さらなるテクニックとしては、

「また教えていただいてもよろしいですか？」


といったひと言を加えることです。相手と今後も継続的な関係をつくっていきたい、という意思を見せることで一気に距離は縮まります。

中には、相手が「あれ？ そんなこと話したっけ？」と忘れてしまっていることもあるかもしれませんが、それでも構いません。

人が喜んでいる姿を見れば、「そういえばそんなこと言ったかもしれないな」「まぁ喜んでくれているならよかった」と、悪い気分にはまずならないものです。

また前回の会話の中で、相手が教えてくれた個人的な情報を折にふれて出すのもよいでしょう。

・「この前出張で（相手の出身地の）長崎に行ったんですよ、のどかでいい街ですね」
・「前回教えていただいた○○、調べてみたら本当にプレゼンの参考になりましたよ」

など、情報は具体的であればあるほどよいです。

「雑談ノート」の話をしましたが、話したあとにちょっとメモをしておくことで、相手のことを覚えやすくなることはもちろん、こうして距離を縮めるための強力な武器になっていきます。

一流のポイント
23／38

自分に興味がある人のことを人は嫌いになれない

24 高価なものでなく、500円の手みやげを

役員も喜ぶ手みやげの例

これは「何度目」といった具体的な回数は関係のない話ではありますが、人と会うときに簡単な手みやげを渡せると距離は縮めやすいでしょう。

人の心にスルスルッと入っていける人はちょっとしたサプライズがうまいものです。

……と、頭ではわかっていてもなかなか何を持っていくか悩ましいところだと思います。

いったい、何を持っていくのが正解でしょうか？

高価な手みやげは逆効果になることも

年齢や関係性などで大きく異なってくるところはありますが、基本的にまだ会って1～2回くらいの人に対しては高価な贈り物は避けるべきでしょう。

数千円というのはちょっとやりすぎです。

「何で（まだ会ってそんなに経ってないのに）そんなものを？」と相手を戸惑《とまど》わせたり、警戒させたり、余計な気をつかわせたりします。

相手の立場によっては「ワイロ」として取られかねないところもあり、受け取りを拒否されてしまうケースもあるでしょう。もちろん、プライベートでも同様ですね。

では、いくらくらいの手みやげが正解でしょうか？

それは、500円くらいのもので十分です。

たとえば私の人生で最大のヒット手みやげとなったのは、出身地でもある宮城県の特産品「仙台長茄子《ナガナス》」でした。

まだ右も左もわからなかった新入社員の頃、地元に帰ったときのおみやげとして営業先にたまたま持っていったところ、大ウケしたのです。

中小企業の社長さんを中心に、「嬉しいねぇ、ありがとう！」と本当に喜んでくれました（これに味をしめた私は、一時期、百個単位で長茄子を購入して取り寄せたこともありました……）。

手みやげのポイントは「ちょっとした手間ひま」

では、手みやげの具体的なポイントをいくつか挙げてみましょう。

大きなところとしては「大したものではないのだけれど、わざわざ行かないと手に入らないもの」だったりするとよいでしょう。

何でもネットで手に入る時代ですから、その地域でしか買えないご当地の限定品などは喜ばれると思います。

たとえば、世界で「富豪」と呼ばれるような人たちが日本のおみやげに選ぶのは「カルピスウォーター」や「箱に入った20円の風船ガム」など、日本でしか買えない商品で、これらを数百個単位で買っていくのだといいます。これなどは、参考にしたい手みやげの例ではないでしょうか。

また、相手の好みが把握できていれば品物でもいいでしょうが、どちらかといえばお菓子などの「消えもの」のほうが無難だと思います。

何か珍しいものである必要はなく、それこそ長めの打ち合わせの際に「のど飴」や「缶コーヒー」を渡すとか、ちょっとしたものでも構いません。

要するに、**「今日はよろしくお願いします」「会えるのが楽しみでした」といった思いが伝わる手みやげ**であることが大切なのです。

一流のポイント

24／38

品物を渡すのではなく、手間を渡す

25 本人がいないところでも必ず敬語

フレンドリーで丁寧な物言いを徹底する

「言葉づかいは丁寧に」。

あたりまえのようでいて、きちんとされている方はほんの少しです。

研修をしていても、「仕事でそんな言葉づかいをしたらNGでしょう」という言葉を平気で使っている例も少なくありません。

これは若手だけでなく、30~40代の人でもよく見かけるので「最近の若手は……」などと言っていられないところでもあります。

もちろん、言葉に「お」や「ご」をつけたり、「おっしゃる」「差し上げる」といった簡単な敬語はできるのですが、あまり使い慣れていないため、ふとしたときにボロが出るのです。

たとえば、

×「○○さんも来るみたいですよ」

↓「○○さんもいらっしゃるようです」「○○さんもお越しになるようです」

×「年始のご挨拶にお伺いしました」

↓「年始のご挨拶に伺いました」（自分がする動作に「お」や「ご」はつけない）

といった何気ないところです。

敬語というのはうまく使えると「インテリジェンス」「きちんとした雰囲気」が醸《かも》し出せるので（逆に敬語が使えないとかなり幼稚に見えるので）、ぜひ自分の癖を見直していただきたいと思います。

クッションを入れる癖をつける

また、敬語にはもう一つ重要な役割があって、何か人にお願いをするときや言いにくいことを伝えるとき、

- 「恐れ入りますが、お名刺をちょうだいできますでしょうか？」
- 「あいにく在庫を切らせておりまして、まことに申し訳ございません」
- 「お差し支えなければ、具体的にお教えいただけませんでしょうか？」
- 「ごめんどうをおかけいたしますが、よろしくお願いいたします」
- 「お忙しいところ恐縮ですが、ご返信お待ちしております」

といったクッション言葉をうまく取り入れられるようになると、耳にしたときのあたりがソフトになります。

何か聞いてもらいたいことがあるときは、これらの言葉がスッと出てくるように意識的

に練習をしてみてください。

「フレンドリー」さは決して失わない

とにかく敬語というのは使う癖がついていないとぎこちなくなります。

本人がいないところでも、目上の人やお客様のことを話すときには「○○さん、ご結婚されたみたいですね」「『和食が食べたい』とおっしゃっていましたよ」など、必ず敬語を使うようにしてみてください。

ただし、丁寧な言葉を使うことと、態度がよそよそしいのは違います。

なかなか人間というのは不器用なもので、丁寧な物言いとフレンドリーな態度を両立させるのが苦手な人もいるようです。

丁寧さを意識するあまり、どこかよそよそしい「慇懃無礼《いんぎんぶれい》」な話し方、接し方をしてしまうことがあります。

私の場合、社員でも年下でも、誰にでも敬語で接するようにしています。

しかしそれでやりにくい、コミュニケーションに距離ができるということは一度もないので、ぜひとも、マスターされることをおすすめします。

美しく丁寧でも、話す内容はあくまでもフレンドリーに。この機微がわかってくると、人としての信頼感も高まっていきます。

一流のポイント
25／38

人が心地よくなる敬語を使う

26

まるで十数年来の友人のような電話をする

好感レベルを上げる電話のかけ方と出方

メール、Facebook、LINEといった文章でのやり取りが全盛の時代で、「電話が苦手」という人が少なからずいるようです。

たしかに電話というのは、相手の顔が見えない分、コミュニケーションの難易度は高くなります。

ですが、電話というのはうまく使えばかなり距離を縮めやすいツールなのです。

特に、一度会った人に再び連絡を取るとき、最近会っていない人に久々に電話をかけるときなど、このときの対応で距離感が一気に変わります。

電話は不意打ちな分、より相手の素に迫りやすいツールでもあるのです。

「声が低い」は絶対にNG

まず基本的なところからいくと、みなさんやりがちなのが、とにかく「声が低い」ことです。

電話というのは、対面でのコミュケーションよりさらに声が低く聞こえます。

ですから、対面時のトーンよりもさらにトーンを上げて、声量もいつもより大きくして話さないといけません。

そうしないと、「怖い」「冷たい」「元気がない」といったマイナスの印象を与えてしまうことになります。

スタンスは、「あなたのことが気になって」電話してしまいました

次に、言葉選びや雰囲気が何より重要です。

自分から人に電話をするとき、理想としては「まるで十数年来の友人」「地元の友人にかけるとき」のようなトーンでかけられるとよいでしょう。

「○○さん、どうもお世話になっております、いや、最近どうされているかなと思いまして、つい気になって電話してしまいました（笑）」

「○○さん、この前教えていただいた例のお店、伺いましたよ〜。本当にいいお店だったのでひと言お礼を申し上げないと、と思いまして」

「出張で熊本に来たんですが、○○さんのご郷里なので思わず連絡を差し上げてしまいました（笑）」

と、ふとしたきっかけを見つけてかけてみるようにするとよいでしょう。

「あなたのことが気になって電話してしまいました」といったスタンスで、近況を聞いたりしてみてください。

長々と話さないよう、**30秒程度で切り上げるくらいの電話**で構いません。このちょっとのコンタクトがとても大事なのです。

ただし、かける時間は選びましょう。相手の生活スタイルから考えて、忙しそうな時間帯や家でゆっくりされていそうな時間は避けるなど、最大限の想像力を働かせてください。

ちなみに人から電話がかかってきた場合、その折り返しの際には「お電話をいただいたようでしたが……」などと言葉をにごすのではなく、

「○○さん、先ほどは出られずに大変失礼いたしました。いかがなさいましたか？」

と続けたいところです。

語尾などをにごさないよう、ハッキリとしゃべるようにしましょう。

一流のポイント
26／38

数十秒のやりとりで数年分仲良くなれる

雑談ゼミ5 イギリスで学んだコミュニケーションの本質

私は20代の頃、イギリスに留学をしました。人見知りだった当時の私は、そこで人生が変わる体験をしました。

英語はある程度わかるのに、会話が成立しない。意思疎通がうまくはかれないのです。

ところがイギリスの人たちは、そんな私を相手に、必要最低限の単語をうまく組み立てて、どうにか伝えたいことを共有してくれました。イギリスに住む人たちの話術の巧《たく》みさは、驚くべきものでした。

大きな衝撃を受けた私は、「語学力」とは別枠の「コミュニケーション力」の存在と、その重要性に気がついたのです。

これはイギリスの文化に理由があるようです。イギリスは日本に比べて、ことあるごとにパーティーを開く習慣があります。

そして、パーティーの場では、話を盛り上げる人が高い評価を得るのです。

私たちが学校のテストでいい点数を取ろうとするように、イギリス人は話術を磨くというわけです。

そしてもう一つ特徴として感じたのが、サプライズを準備することです。

パーティーのような場に限らず、日常会話でも不意にクイズを出してくるなどして、いろんなところで話を盛り上げようと試みる人が多いのです。

そして、よいサプライズができる人は、話術が巧みな人と同様に周囲から評価されていました。

たとえば、花を買ったりケーキを用意したり、サプライズというのは手間がかかりますし、ちょっとめんどうなものです。

しかし、ほんのちょっとしたサプライズだとしても、常にサプライズを仕込もうとする、その努力の姿勢が人の心を打ちます。

第6章

相手によって話し方や話題を変える

三流は、誰に対してもローテンション
二流は、お決まりのワンパターン
一流は、自在にコミュニケーションの型を操れる

27

世の中には、雑談すべきでない人もいる

タイプによるアプローチの違い

さて、ここまでで基本的な雑談のやり方、テクニックは説明してきましたが、この章からはさらなる上級テクニックを紹介していきます。

まずは、「相手のタイプを見極めたうえで話題のふり方や接し方を変える方法」を見ていきましょう。

コミュニケーションの最大の難しいところは、生もの、ライブであるということです。つまり、時と場合によって少しずつ接し方を変えなくてはなりません。

最も考えなければいけないのが、誰と話しているか、相手をきちんと把握するということです。

たとえば端的な例としては、「雑談をイヤがる人」がいます。

これは「コミュニケーションが苦手だから」ということではなく、「用件は何なのかさっさと知りたい」と思うタイプの人です。

特にビジネスが絡んでいる場合、この手の人に天気の話などをしてもあまり効果的ではありません。相手にメリットを与える話をしていくのが正解です。

一方で、雑談をすることでうまくアイスブレイクしないと、なかなか心を開いてくれないタイプの人もたくさんいます。

そのため、その人によって微妙に話し方を変えたり、話題のふり方を変えたりできると、「超一流」の雑談に仕上がっていきます。

会った瞬間に相手のことを把握する。果たしてそんなことができるのかと思うかもしれませんが、実はそこまで難しいことでもありません。

細かい違いなどはもちろんありますが、人の性格はおおまかにいくつかの傾向に分けることができ、それを見抜くためのポイントもあるのです。

本章では大きく5つのタイプに分けて、それぞれ解説していきます。

同時に、みなさんご自身のタイプも診断してみてください。

一流のポイント
27／38

会話は、相手の特徴に合わせて微調整する

28 プライドが高い人は上手に褒める

言いたいことをハッキリ言う「ボス」タイプへの傾向と対策

まず、最初に紹介するのは「言いたいことをハッキリ言う」タイプ。中小企業の経営者、大手企業の管理職などに多いタイプです。

見分け方としては、次のような特徴があります。

- 話のテンポが早い
- 興味がある話にはどんどん食いついてくる
- 会話の途中でもさえぎって質問をしてきたりする
- 目の奥が鋭く、「品定め」「値踏み」しているような雰囲気がある

・腕を組みながら人の話を聞いている

このタイプは、基本的にムダな話を嫌うことが多いです。

自身の能力も高いので判断のスピードが早く、ちょっとしたやり取りの間に「レベルが低い人だな」と思われてしまうと、そこでゲームセットになってしまう可能性があります。

やりとりの中でも「で、話は何なの？」と結論を求めてくるので、「気やすい雑談で距離を縮める」というよりは、「雑談をフックに相手のメリットのある話をしていく」ことが重要です。

一見コワモテなので近づきがたい印象もあるのですが、こういうタイプの人ほど一度仲良くなると義理がたいタイプでもあります。

いわばジャイアン気質というか、親分肌の人なので、ふところに入ってしまえばとてもよくめんどうを見てくれるのです。

基本的には、メリット、得のある話をするようにして、相手の興味を引きつけます。

質問に対しては、「相手の求めることに明確に答える」ことを心がけてください。たとえば、「××ってできないの？」などと聞かれたら、「はい、可能です。具体的には……」などとまずは結論から答え、そのあとに情報を補足していきましょう。

また、プライドが高いタイプでもあるので、上手に相手を褒めたりできると「この人はなかなか見どころがあるな……」と感じてくれたりします。

ここまで見てきた中では、項目（21）の「つぶやき褒め」や（22）で紹介した「メンターになってください」などが有効でしょう。

「怖いから近づかない」のではなく、そう見える人だからこそ、どんどん入っていけば仲良くなれる。その意味ではとてもシンプルで関係のつくりやすいタイプだといえます。

一流のポイント
28／38

ボスは、ふところに入ればかわいがってもらえる

29 やさしくて話しやすい人は意外と危険

マイルドな「いい人」タイプへの傾向と対策

続いては、打って変わってこんなタイプです。

こちらの雑談に笑顔で応じてくれて、深く共感し「とてもやさしい感じのする人」。

かなり雑談がしやすい印象がします。

・「感じのいい」印象がある
・「うんうん」とよくうなずいて人の話を聞く
・ややゆっくりめのテンポで話し、反応も遅め
・やや話が長く、結論ではなく細かいプロセスを話そうとする

・「でも」「だけど」といった相手を否定するような言葉を使わない

仮にみなさんが営業マンだとして、こうした人が担当として出てきたらどうでしょうか？ きっと、「よし、あたりだ！」「いい人でよかった！」と嬉しくなってしまうでしょう。

ところが、私はこうした人を「営業マン殺し」と呼んでいます。

このタイプの人は、優しさや思いやりの深さが特徴です。寛容な人が多いので、雑談初心者の話でも楽しそうに聞いてくれます。

しかしその反面、決断力に乏しい人も多く、話は盛り上がっているのに、いつまで経っても本題が進まない！ 回答を得られない！ という事態に陥りがちなのです。

私自身も、何度訪れてもまったく話が進展しないことがありました。

もちろんプライベートの場面では非常に付き合いやすい人ではあるのですが、言い方を変えると「頼りない」と見えるところもあるかもしれません。

そんな人を「動かしたい」場合には、ある程度の押しの強さも必要になってきます。

具体的にいえば、頃合いを見て本題を切り出す、決断を促すということです。

ただし、焦って会話のテンポを上げすぎないように気をつけましょう。このタイプの人は、ハイテンポでたたみかけられるのを得意としていないことが多いので、なごやかな空気を心がけて会話をしていくことです。

プレッシャーを与えない、命令をしない、「こう思うのですが、いかがでしょうか？」とアドバイスをするような、一緒に動いていくような気持ちで話をしていくことを心がけてみてください。

一流のポイント 29／38

おっとりした人には、強すぎず、弱すぎず、ギリギリの押しで接する

30 さっさと結論が欲しい人にはメリットを

賢い話し方をする「分析家」タイプへの傾向と対策

続いては、「分析家」と呼ばれるタイプの人です。

特徴としては次のとおりです。

・きちっとした雰囲気がある
・やや反応が薄く、淡々としている
・冷静な受け答えをする
・納得いかないことは何度も質問をする
・細かい点を気にする

このタイプの特徴は、興味があることには熱中するものの、必要がないと判断したら途端に関心が薄くなることです。

いわば「理系タイプ」というか、研究職やお医者さんなど、頭のいい人に多いタイプです。「結論を求める」「論理的な話し方を好む」など、「ボス」タイプの人と共通点もありますが、最大の違いはその冷静さです。

口数が少なく、知性に優れているこのタイプの人は、雑談がわかりやすい形（手を叩いたり、声を上げながら笑うなど）で盛り上がらないことも珍しくありません。

そのため、話し手としてはつい不安に思ってしまいがちですが、リアクションが大きくないだけで、話にまったく興味を示していないとは限りません。

知的好奇心が強いので、実は話に深く感心している可能性があるのです。

話している話題に乗っているのか、乗っていないのかを見極めるために、相手の目の色や言葉などの変化に、いつも以上に敏感でいたいところです。

具体的な話題としては、井戸端会議のような雑談、笑い話などではなく、相手の知識欲や好奇心を満たすようなものがよいでしょう。

好きなものはとことん好き、なタイプでもあるので、相手の好きな分野に早い段階で気づけると対策もラクになってきます。

話し方のコツとしては、「今日の話は3点あります」「ポイントをまとめますと……」など、整理しながら話していくことを心がけましょう。

また、ボスタイプの人と同様で、先に結論を提示して、あとから説明する順番で話を進めてください。

早めに「おもしろそうな話だな」とメリットを感じさせて、その根拠を補足していくのがポイントです。

一流のポイント 30／38

数字や根拠、事実などを示しながら、プレゼンするように雑談する

31 社交的な人には楽しい話を

とにかく明るい「ネアカ」タイプへの傾向と対策

続いては、明るく社交的な「ネアカ（根が明るい）」タイプの人。

次のような特徴があります。

- 笑顔で楽しそうに接してくる
- 冗談やユーモアで会話を盛り上げる
- 自分で言ったことにウケる、よく笑う
- 「へぇ！」「すごい！」といった大げさな反応、大げさな表現をする
- 相手の話をあまり聞いていない

社交性が高く、楽しいことや、人とふれあうことが大好きなこのタイプの人は、当然ながら雑談も盛り上がりやすくなります。

というよりも、雑談が大好きなので、雑談の雰囲気次第で人間関係のよしあしが決まってしまうようなところがあります。

決して「理詰め」タイプではないので、その場が楽しくなるような雑談を第一に心がけるようにしてください。

具体的な対策としては、上手に聞くことが大切です。基本的にはリアクションや質問などで会話を広げていきましょう。

項目（19）で紹介した「ちょいモリ」を効果的に使いながら、やや大げさに話したり聞いたりするのがポイントになってきます。

ただ、注意が必要な点としては、このタイプの人は話題がコロコロと変わったり、脱線したりすることが多いことです。

放っておくとついつい脱線していってしまうので、「今何の話をしたいのか」「どこに向かって話しているのか」を見失わないことです。
脱線しすぎたら「あ、○○といえばさっきの話に戻りますが」などと方向修正すること
も必要になってきます。
とはいえ、決して話を聞いていないタイプではありません。
最終的に言いたかったことを伝えられれば、そこまでの道のりはあまり気にしなくても
大丈夫です。
話の脱線具合を楽しむくらいが、ちょうどよい雑談の温度になります。

なお、このタイプの人は理詰めで攻め切れないところがある代わりに、理に適わないも
のでも、心の赴くままに判断を下してくれることが多々あります。
たとえばこのタイプの人がモノを買うときは、商品の性能や値段などではなく、ちょっ
とくらい性能で負けていても、「これを持っているとカッコよさそうなのでほしい」と言っ
て決めたりします。
付き合う際には、言葉の表現や表情など、態度をポジティブに。できればヨイショしな

がら会話をしていくと勢いに乗り、実力以上の力を発揮してくれるタイプです。

一流のポイント
31／38

乗せて、乗って、楽しい会話が信頼につながる

32 大人しい人にはペースを合わせてゆったりと

あまり主張しない「控えめ」タイプへの傾向と対策

さて、最後に紹介するのは大人しい「控えめ」タイプの人です。

・人あたりがよく、「やさしい」「ソフト」な印象を与える
・うなずきながら相手の話を聞く
・「そうですね」「そのとおりですね」と相手に共感をする
・あまり自分の意見を言わないため、気持ちや考えがわかりにくい
・主張をしないため集団の中では目立たない

このタイプの人は、自分の意見を表に出さない、決断が苦手な人が少なくありません。

そこで、特に合理的な「ボス」タイプや「分析家」タイプはこのタイプの人にメリットなどを説明して強くプッシュしがちです。

しかし、これはあまりやってはいけないアプローチです。

なぜなら、このタイプの人は「想定外のこと」が起きるのが苦手だからです。つまり、あくまでも自分のペースで、自分のやり方で判断をしていきたいと考えています。

そのため、強引なアプローチでは心を閉ざしてしまう可能性が高いのです。

このタイプと接するときには、とにかく相手に合わせること。

相手の話すテンポが遅い場合は、自分もそれに合わせてゆっくりしゃべるようにしてください。

極端な話、相手がよく黙りこむようなら、定期的に沈黙が起きてもＯＫだと思います。

困っているのではなく、自分の中で考えて、飲み込んでいる作業なのです。

ちなみにこのタイプは、大人しく、相手に対する適応性が高いのですが、慣れてくるとかなり気やすく、内弁慶的な態度が出てくる人もいます。

そうした一面が出てくるようになれば、人間同士の結びつきができあがったといってよいでしょう。

ここまで関係が進めば、お願いごとなどもしやすくなりますし、話を聞いてくれる可能性もグッと高くなります。

とにかく、慌てて関係性を縮めようとしないことが重要です。

一流のポイント
32／38
焦らず、相手の言葉を待つ

雑談ゼミ6

キーマンは肩書きでは決まらない

ここまで、主に一対一の雑談の仕方を見てきましたが、日常の場面では「二対二」「三対三」など、多人数で行われる雑談もあります。

特に営業や商談のときに重要になってくるのは、多対多の打ち合わせや商談の場面で、いったい誰が「キーマン」なのかということです。

キーマンとは、たとえば私が売りたい商品を決定してくれる人、あるいはその決定をあと押ししてくれる人、の意味になります。

このキーマンにうまく好印象を残せるかが、非常に大きなポイントです。

たとえば、相手が課長さんと平社員の方なら、課長さんにだけ向かって話せばいいかというと、そうではありません。きちんと平社員の方のほうにも目線を向けて、割合としては7：3くらいで見るようにします。

そうすると、「気に入られよう」というイヤらしさが出ないのです。

そして、さらにもう一つ気をつけるべきことがあります。

「キーマンは肩書が一番上の人とは限らない」ということです。

たとえば家族で何かを決めるとき、家主のだんなさんではなく奥さんの意見が一番大きい、ということがあるように、上の役職の人が若い社員の意見を求めてそれを採用する、ということも珍しくありません。

私自身、若手社員向けの研修プログラムの営業で、役員の方が秘書の方に「○○さんどう思う？」とたずねられたりするのを見て、「あ、これは秘書の方がキーマンだな」とアプローチ（話し方、話す内容）を変えたりすることもよくあります。

営業マンに特化した話ではなく、たとえば近所のコミュニティでも会社の中でも、表面には見えてこない微妙な力関係があるものです。

そこに目を配り、対処できるようになれれば、一流と言えるでしょう。

第7章

雑談から本題への移り方

三流は、ただただ迷惑がられ、
二流は、検討しますと言って帰され、
一流は、提案したことを感謝される

33

「ところで本日は～」は最悪の出だし

会話の流れを断ち切らない

さて、この7章では「雑談をする真の目的をどう達成するか」。

販売、プレゼン、営業、交渉ごとなど、人を相手にする仕事の中では、達成したい目的、「本題」があります。

もちろん、きちんとしたビジネスシーンだけではなく、たとえばプライベートで気になる人を「デートに誘う」「告白をする」などといったシチュエーションでも基本的な考え方は同じです。

雑談を通して自分の伝えたいことをいかにうまく打ち出していくか。その方法を見ていきたいと思います。

雑談でできた雰囲気そのままで本題へ

雑談から本題へ進むための最大のポイントは、それまでの雑談の流れのまま本題に入る、ということです。

雑談でできあがったよい空気、雰囲気を維持したまま本題に移ることが大切になってきます。

たいていの場合、「ところで、本日は……」「それで今日なんだけど……」など、つい本題に入る前に間《ま》をつくってしまいがちです。

しかしこれでは、「会話の流れを断ち切る」ことになり、少し不穏な空気が生まれます。

すると、自分も相手も緊張してしまい、話を警戒される可能性が高くなるのです。

大事なのは、あくまでも自然な流れ。

・「今の話で思い出したのですが……」

・「お話を伺っていて、お力になれると思ったのですが……」

・「実は私どもも同じことを考えておりまして……」

など、自然と本題に入るためのフレーズを身につけていきましょう。

一流のポイント

33／38

会話の流れが止まると、緊張感が生まれ、警戒される

34

あくまでも雑談からヒントを得た体《てい》で

本題と相手の話との接点を探す

雑談から本題への自然な移行。

その最大のコツは、「あくまでも雑談からヒントを得た体《てい》」で行うことです。

「準備万端で今この話をしています！」というよりも、「今あなたの持っている課題を解決できるものが、そういえばありました！」といったスタンスのほうが受け手としては気がラクですよね。

そのため、話を聞いてもらえる確率がとても高くなるのです。

では、どうすればこのような移行ができるかといえば、事前にシミュレーションをしておくことです。

具体的には、自分がしたい「本題の内容」から連想されるキーワードをピックアップしておきます。そして、相手と雑談をしながら、事前に用意したキーワードと相手の言葉をリンクさせていくのです。

たとえば、新しいウェブサービスを人に紹介したいという場合。そのコンテンツから連想される「いい会社」「人材を育てる」「すぐに見つかる」「手間を省く」「低コスト」「簡単」などの単語と、相手から出た言葉をうまくリンクさせていくのです。

A「○○社長、相変わらずお忙しそうですね」
B「いや、実は経理の子が急に辞めてしまって、いろいろと対応に追われているんですよ」
A「なんと、そんな大変なときに申し訳ありません……お力になれるかわからないのですが、実は本日は、人材紹介の新しいウェブサービスのご提案に伺ったんですよ」

このように、「まだまだ雑談を続けられるし、そのつもりだったけど、ちょうどいいキーワードが出てきたので」といった形で、自然な移行を心がけましょう。

旬の話題に絡める

また別の切り口としては、新しい技術が取り入れられた商品や、制度が変更したときなど「時期」がキーワードになることもあります。

B「もう春ですか……最近は1年もあっという間ですね」

A「本当にあっという間ですね。そういえば、この5月で○○社が創業20周年を迎えるらしいんですよ」

B「えっ、もうそんなに経ちますか?」

A「そうなんですよ。それで、この機会に大がかりなキャンペーンが企画されていて、そこで売られる商材のコンペが始まるのですが……」

などと、きちんとした商談の場所でなくとも、また、どのような話題から入ったとしても、きっかけさえあれば本題に移ることはできます。

とにかく重要なのは、雑談がヒントになって「そういえば——」という体で本題に移ることです。

そのためには、事前に自分の話す領域についてキーワードを溜めておき、どんな球が来ても拾えるように準備をしておくことです。

一流のポイント
34／38

どんな球も拾ってつなげるのが一流プレイヤー

35 大事な話をするときは、少し、溜める

間を取ることで耳を傾けてもらえる

雑談はテンポよく、継ぎ目なくパッパと進めていくのが理想です。

ところが、そうではないときが一つだけあります。あえて「間《ま》」をつくると効果的な場面があるのです。

それは「大事な話をしたいとき」です。たとえば、

「今日はぜひお話ししたいことがありまして、実はですね」

とふつうに言ってしまうのではなく、

「今日はぜひお話ししたいことがありまして・・・実は」

と、大事な話題の前に少し間を置いてみます。

すると、相手の注意が一気に高まるのです。

それまでの会話のテンポがよいほどこの間は効果的で、会話に緩急ができます。この違和感が相手の目と耳を話に傾けさせてくれるのです。

その他のシーンとしては、

「最近、パソコンのウイルスに感染してしまう人が増えているそうです・・・なぜなら」

などと、理由や根拠を伝えたい場合。あるいは、

「何かを成し遂げるときに必要なのは、執念です・・・たとえば」

といったようにたとえ話をする場合など、聞き手の注意を引きつけることができます。

具体的な間を置く時間としては、０・５秒くらい。「うん」と軽くうなずく程度の時間で結構です。

何度も使えるわけではありませんが、会話の中の「ここぞ」という場面で、ぜひ使ってみてください。

一流のポイント
35／38

間で緩急をつけ、自在に相手を引きつける

36

「ポイントは3つあります」と予告する

相手が思わずメモを取る話し方

いよいよ本題に入ったとき、特に本題の最初の部分では、雑談で温まってきた空気を冷ましたくありません。

しかし本題なので、きちんと主旨を伝えなければならない。そんなとき、相手の興味を引っ張りつつ、正確に伝えるにはどうすればいいのでしょうか？

まずその入口として挙げられるのは、「この話のポイントは3つあります」といった話全体の予告をすることです。

簡単にできるテクニックなのですが、その効果は絶大です。

「ポイントは○個あります」と言われると、**相手の話を理解しようと聞く準備を始め、**

思わずメモを取りたくなってしまうのです。

さらに話し手にとっても、「話が脱線しない」というメリットがあります。

本題に入った冒頭の部分で「○個のことしか言わない（言えない）」制限をかけることになるので、思いつくままに話をすることができません。話があちこちに飛んだりできなくなってしまうのです。

まるで話し手の頭の中でパズルのピースがはまっていくように、話の全体像ができていきます。仕事の場面の他、スピーチなど人前で話すときにも使えるテクニックです。

一流のポイント

36／38

ポイントを予告されると思わず聞き入ってしまう

37 何についての話なのか10秒で伝える

相手の頭に内容をしっかり留めるコツ

前項では「ポイントを予告する」テクニックを紹介しましたが、もう一つ、本題に入るときに使えるテクニックがあります。

それは、「○○について分析しましたので、本日はこれについてお話しいたします」というように全体のテーマをあらかじめ伝えることです。

この前置きがあると話の全体の方向性を理解しやすくなるため、相手を話に引き込むことができます。

たとえば本題に入ったときに「最近、ミャンマーの海外支店に初めて行ってきたのですが、外資の進出がすごかったですね……欧米やら中国やら世界中から来ていて……昨年は、ラオスにも行ってきたのですがここもすごかった。特に欧米各社が進出していて、我々日本も負けていられませんね……こんなふうに新興国のほうが海外からの進出が著しいですよね……グローバル化が進んでいますね」

と、このような思いつくままの話では趣旨がまったくわかりません。つまり、受け手が話を理解できない、とても負担をかける話し方です。

そうではなく、こうした話を一つのテーマにまとめます。

「『グローバル化が新興国でも進んでいる』ようです。たとえばミャンマーでは……」

このようにして話し始めると、相手の理解度も変わってくるのです。

ポイントとしては、この予告の際、**どれだけ長くても17秒以内で、できれば10秒で話せるとよい**でしょう。17秒というのは耳から得た情報を記憶できる量の限界と言われており、あまり長すぎると相手の頭に残りません。

また、まとめるときのコツとしては、

1　話のポイントは何なのか

2　それらのポイントをひと言でまとめると、要するに何であるのか

と、このような手順で話の内容をまとめるとスマートな話し方ができます。

国語のテストで出てくるような「この内容を50文字以内でまとめなさい」といった問題を解くのと同じような要領です。

まずは会社の中など、気やすい場所で練習をしてみて「まとめ方」を磨いていきましょう。

一流のポイント

37／38

伝える力がある人は、余計なことを言わない

38 沈黙を恐れず、慈愛の顔で待つ

相手の言葉を待つときの表情

雑談では基本的に「沈黙」は避けるべきなのですが、一つだけ、あえて沈黙をつくるべきタイミングがあります。それは、「相手が熟考しているとき」です。

自分が相手に何か大きな提案をしたとき、そこには沈黙が生まれやすくなります。**じっと考えたいとき、人は必然的に黙る**ものだからです。

ところが、「無言で待たされるほう」はその緊張や不安に耐えられず、ついペラペラと言葉を出してしまいたくなるでしょう。

ですが、決して言葉を挟んではいけません。「自分の提案をこれだけじっくり検討してくれて、結果はどちらでも、それだけで本当に満足です。ありがとうございます」といった思いを伝えられるような、慈愛に満ちた表情で待つことです。この人の提案なら信じられるかもしれない、そんな表情ですね。

そしてもう一つ重要なのは、たとえ相手の答えが残念なものであっても、そこでガックリとしないこと。日を改めて、また再度お時間をいただいて、雑談からやり直すようにしてください。

このとき変わらぬ笑顔で、「残念ですが、次はもっとご満足いただける提案をお持ちします！」と言うことができれば文句なしです。相手の好感度もさらにアップして、次回の雑談と本題にもプラスの影響があるでしょう。

一流のポイント

38／38

沈黙に耐え、やさしく見守る

雑談ゼミ7

慈愛の表情とは、カウント・ベイシーの表情

「沈黙を恐れず、慈愛の顔で待つ」とお伝えしましたが、「慈愛の顔」を表現するのにうってつけの人物がいます。

それは、ジャズピアニストのカウント・ベイシーです。

下にあるのが、そのベイシーの写真です。

ベイシーは、ビッグバンド「カウント・ベイシー・オーケストラ」の活動で知られています。

基本的には歴史的な大成功を収めたミュージシャンといえるのですが、第二次世界大戦後の不況で、一時期大人数のビッグバンドを維持できなくなるなど苦労もあり、そのような経

験が深みのある表情の一因なのかもしれません。

歴史上の偉人などでも、信じられないようなつらい経験をしてきた人が、素晴らしい笑顔の持ち主であることは珍しくありません。

人生というのは、大変なこともよく起こります。そのときに、「きっといいことがあるに違いない」と信じて進めるか、目の前の不幸にのみこまれてしまうのか、ここが大きな分かれ目となります。

多くの場合、失敗しても命までは取られるわけではありません。失敗したって、命があれば何度でもやり直すことができます。

その前向きな姿勢の結果こそが、このベイシーのような味のある笑顔をつくるのではないかと私は思っています。

第8章

今日から始める雑談トレーニング

「できていないことがわからない」人間は三流で終わり、
「できない」ことを知り、あきらめる人間は二流で終わるが、
できるまで、とことんやりきれる人間が超一流になれる

Level 1
エレベーターで「何階ですか?」と聞く

最後の章では、これまで見てきた雑談のテクニックを日常で練習するためにどんなことをしたらよいのか、それをレベル別で解説していきます。

できないことも一部あるかもしれませんが、基本的にはどんな人でも実践できることを盛り込んでみました。

では、さっそくレベル1から見ていきましょう。

まずは、エレベーターで誰かと乗り合わせたとき、「何階ですか?」と聞いてボタンを押してあげましょう。

すでにやっている人からすれば何が難しいのかわからないかと思いますが、昨今の時代背景もあって、知らない人に声をかけるのはなかなか難しくなってきています。

研修でもたまにこの方法を紹介したりしますが、かなり効果的で、「人見知り」の壁を突破するよい方法なのです。

ドアの入口に立って、「何階ですか？」と聞く。とても簡単な所作です。

注意点としては、緊張すると声が「低く」「小さく」なりがちなので、高めのトーンと気持ち大きめの声を心がけてください。

「素人の全力のストレートよりも、プロボクサーのジャブのほうが強力」などと言われるように、コミュニケーションがうまい一流クラスの人は、実にさりげなく、このやりとりだけで「素敵な人だなぁ」と思わせる魅力を持っています。

同じマンションに住んでいたり、同じビルで働いていたりする知らない人を自分のファンにする——というくらいの意気込みで、より好感度の高い声のかけ方を意識しながらやってみてください。

Level 2

お会計のときに店員さんとひと言話す

レベル2は、買い物やレストラン、居酒屋などに行ったときに店員さんと会話を交わすことです。

最初は「ありがとうございます」「ごちそうさまでした」くらいで構いませんが、雑談力を磨くトレーニングとしては、もうひとひねりほしいところです。

たとえば、食事をしたときは「おいしかったです」というひと言で済ませてしまう、というか、それしか言葉が出てこなかったりしますね。

しかしそうではなく、お店の人がちょっと嬉しくなるようなひと言をかけてあげるようにしてください。

たとえば、

「お財布のひもが許せば、毎日食べに来たいくらいですよ（笑）」

「おもてなしを感じる接客で、ファンになってしまいました」

「ホームページでお店のコンセプトを拝見しましたが、とっても素敵ですね」

お菓子などのおみやげを買ったりしたときは、

「ここのでないと、みんな（家族、社内の人など）が文句を言うんですよね（笑）」

……といった具合です。

この「何気ないけれどちょっと小粋なひと言」は、大事なときにいきなりやろうとしてもできるものではありません。

何ごとも、「普段」の延長線上にあるということを心に留めておきましょう。

Level 3

混んだ居酒屋で店員さんをスマートに呼ぶ

レベル3は、声の通し方です。

混雑した居酒屋やビストロ、ファミレスなどで「店員さんを呼ぶ」という練習方法をおすすめします。

「すみませーーーん!」と、大声では周囲に水を差すこともあるし、かといって、遠慮していては声が通らないものです。

そんな中、声量はそれほど大きくないのに、よく声が通る人がいますよね。

よく通る声とはひと言でいってしまえば「共鳴している声」です。

アコースティックギターはボディに穴が開いていますが、その中の空間で音が共鳴しているからこそ、あのような音が鳴ります。

同じように、声を共鳴させるには、鼻の奥や口の中などの空間で共鳴させる必要があります。

試しに口を閉じたまま鼻声で一定の音を出してみてください。そして、その間にあくびをするような感じで喉を開いてみると、同じ強さでしか鼻声を出していなくても、大きく響くことがわかるはずです。

口の中の空間が広がったことで、元の音の強さは同じでも、より大きく共鳴しているからそのようになるのです。

この発声を身につけられると、通る声が出せるようになります。

さまざまな場所でも応用できるので、ぜひ練習してみてください。

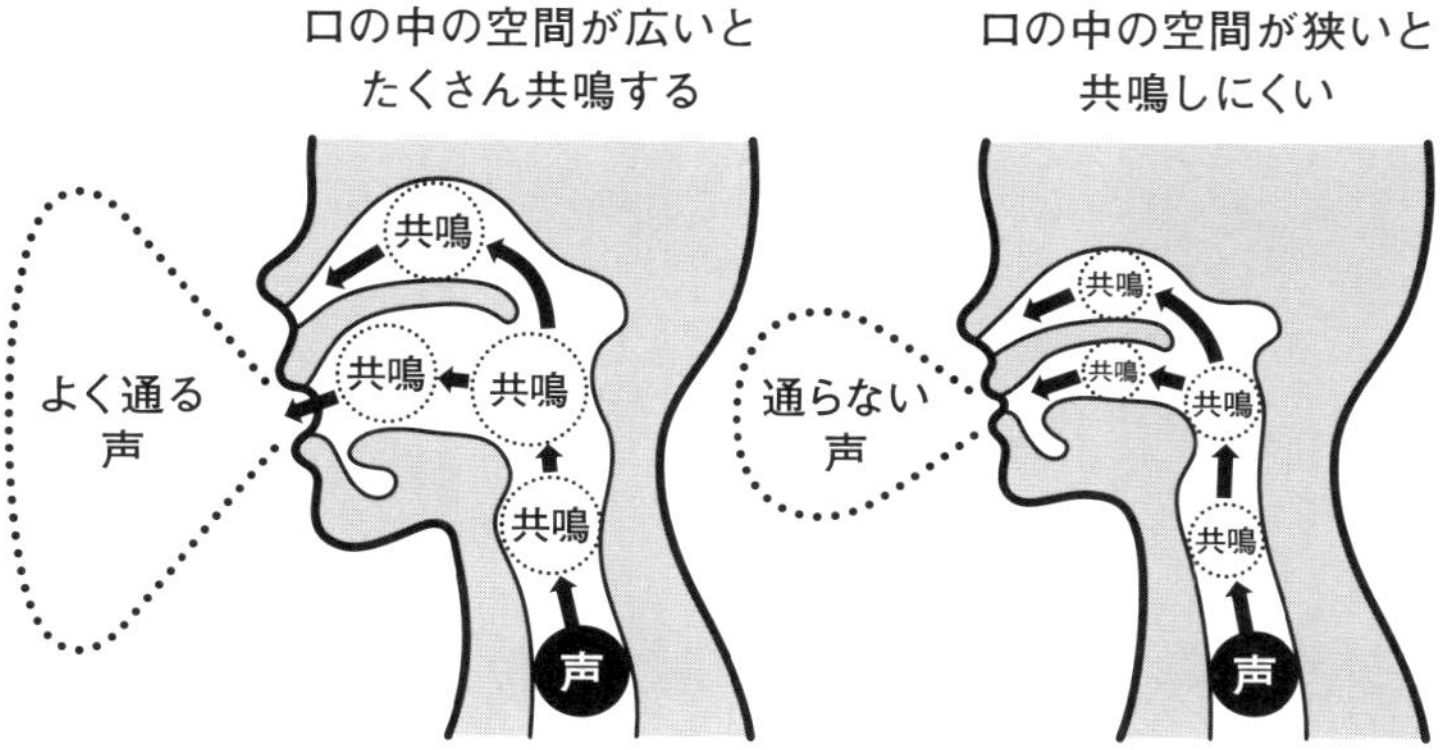

Level 4
アウェイの飲み会やパーティーに参加する

レベル4は、実戦で経験値を積むための「場数の増やし方」です。

雑談というのは、互いをよく知らない人同士で行うもの。

本質的なことをいえば、さまざまなタイプの人と、さまざまな場で出会う。場数を積めば積むほど、そのレベルは上がっていきます。

最近はSNSのおかげもあって、異業種交流会などに参加するのも簡単ですし、「知り合いの知り合い」の飲み会に参加するのも難しくはありません。

そうした場で、まったく知らない人といかにうまくコミュニケーションを取れるか。これこそが、雑談力の真価でもあります。

自分の力試しと、実力アップ、そのどちらにも役立つので、ぜひ習慣化していただきたいトレーニングです。

パーティーなんか行く機会がない、という方もおられると思いますので、その場合は、たとえば「行ったことのないバーに行く」「タクシーの運転手と話す」「初めての美容院に行く」といったことで構いません。

バックグラウンドがまったく違う人とでも、うまくコミュニケーションを取ることができる。誰からでも学びを得て、他の機会に活かすことができる。これも、雑談力の効果の一つです。

Level 5

社内の苦手な人・嫌いな人と軽く雑談をする

続いてのトレーニング方法は、今働いている職場や、コミュニティの中にいる「苦手な人」と話すことです。

グループがある程度の規模になってくると、そこには当然苦手な人、得意でない人が出てきます。それを避けてしまうのではなく、あえて自分から話しかけてみるようにしてください。

これは、人との接し方のスタンスを見直す効果もあります。

「返報性の法則」という言葉を紹介しましたが、人のことを「苦手だな」と感じてしまうと、相手もこちらを「苦手だな」と感じてしまうものです。

そうではなく、相手を好きになろうと努力し、その結果として相手にも自分を好きだと思ってもらおうとする――という流れが大切なのです。

この努力は環境改善にもつながる、とても大事な習慣です。

南アフリカで「アパルトヘイト（人種隔離政策）」を撤廃したネルソン・マンデラは大統領になるまで、27年もの獄中生活を経験しています。

その獄中生活で、マンデラは白人が話す「アフリカーンス語」を学び、白人看守に話しかけ続けました。

すると、傲慢《ごうまん》で冷酷だった看守も次第にマンデラと積極的にコミュニケーションを取るようになり、いつしか敬意をもって接するようになったといいます。

また、定期的に房の様子を見に訪れる少佐がラグビー好きだと知ると、ラグビーの記事を読み、得点や選手の名前、その特徴を頭に入れて、少佐と話しました。これによって、少佐の強い敵対心を取り去ることに成功したのです。

苦手な人がいるのは、ある程度仕方のないことかもしれませんが、対話しようとする努力は、多くの場合実を結ぶと私は思います。

Level 6

インプットしたことを社内で話す、ウケる社内スピーチを考える

次は、より質の高いアウトプットのトレーニングです。

最初のうちは、食事でもしながら友人に話してみる程度でOKです。失敗しても笑って聞いてくれるような気楽な相手に、コツコツ練習を重ねていきましょう。

そして、少しずつ慣れてきたなと感じたら、別の場所で試していきましょう。たとえば、職場に朝礼のスピーチなどが制度としてある場合には、とても大きなチャンスです。

私の場合は、社員と食事をするときにいろいろと仕入れたネタを話しながら、「そうか、この部分がわからないのか」など微調整をしています。

余談ですが、伝説のスピーチをたくさん残しているスティーブ・ジョブズが手がけた、

1997年の〝Think different.〟をスローガンにした広告キャンペーンと、翌年のiMac発売は、経営危機を迎えていたアップルを再生させたきっかけとしてよく知られています。

このテレビCMの「自分が世界を変えられると本気で信じる人たちこそが、本当に世界を変えているのだから」というメッセージは世界中の人々の心を打ちましたが、ジョブズはこの〝Think different.〟キャンペーンを始める前に、社内に向けてプレゼンテーションを行っています。その内容も実に素晴らしいものです。

Level 7

「謎かけ」を練習する

より雑談を盛り上げていくには、「たとえ話」がとても大切です。

「たとえると、○○みたいなものなんですけど」「なるほど、私の業界でいえば××するということですね」など、自分が話すときでも聞くときでも、たとえ話を使うとニュアンスをうまく伝えられたり、笑いを加速させたりすることができます。

コミュニケーションのうまい人はこれをごく自然に行っていますが、苦手な人にとってはとても難しい作業ですよね。

ところが、これもそこまで複雑な話ではありません。

そもそもたとえ話とは、Aというものから連想されるキーワードを抽出し、それをまったく別のBの持つ要素とかけ合わせることです。

こう説明すると難しいですが、要は「共通点を探してつなげる」連想ゲームのようなものなのです。

これに最適なトレーニングがあって、それは落語家さんなどがよくやっている、「○○とかけまして、××と解く。その心は――」という謎かけです。

たとえばiPS細胞をお題にした場合、「何にでも応用できる」「便利」などといったキーワードが連想できますよね。そうしたら、同じような話題が出てきたときに「iPS細胞みたいな話ですね」などといえます。

私はよく社内で、「はい、魚釣りの話から研修の話題に持っていって！」などと雑談のトレーニングを行ったりするのですが、やはりこれも同じ要領です。

通勤中にスマホをいじる時間をこうしたトレーニングに当てるようにすれば、雑談力はかなりついていくと思います。

Level 8

結婚式などフォーマルな場で、おもしろい乾杯のあいさつをする

私は仕事や人生におけるコミュニケーション力の重要性を思い知ってから、さまざまな方法を試してきました。

筋肉を鍛えるように、どんどん負荷のかかる方向に持っていって、「このうだつの上がらない人生をコミュニケーション力で変えてやろう」と思ったのです。

話すのがヘタなので、研究を重ねるしかないと、講演やスクールなどにどんどん行きました。人に会うのを避けてしまうので、「これはもう会わなければいけないようにするしかない」と思い、テニスクラブに入りました。

そして、一番ストレスのかかる話し方が要求される場はどこだろうと考え、結婚式の司

会をできそうな機会があったら、どんどん名乗りを上げることにしました。若い頃だけで47回やって修業しました。

人間が最も苦手とするのは、プレッシャーの大きいフォーマルな場で、「しっかりと話さないといけない」という状況です。

言葉づかいや、場の空気を読んだ進行、ちょっとしたトラブルへの対応、常に笑顔を浮かべること——かなり気をつかいますが、同時にコミュニケーションのさまざまな能力が鍛えられていきます。

とはいえ、なかなか司会をする機会などないと思いますので、トレーニング内容としてもってこいなのは、結婚式のようなフォーマルな場でのあいさつをすることです。

たいていのあいさつは「冗長でつまらない」ものですから、それとは反対に、短く、リズミカルに、おもしろい話をするにはもってこいの場です。

もともと会場の人たちは「あいさつなんてつまらない」と思っているので、失敗したときのダメージはそれほど大きくありません。その点においては、他のトレーニングよりもチャレンジしやすいかと思います。

おわりに

仕事と人間関係を変える雑談

街に出ると、さまざまな人の会話が耳に入ってきます。

サラリーマンや学生たちが居酒屋やカフェでグチをこぼしたり、あたりさわりのないことを話したりし、「へぇ」「マジか」などと気の抜けたあいづちをしています。

そんな様子を見たり聞いたりするたびに、私は雑談の持つ本当の力を伝えたいと、悔しく思ってきました。

お伝えしてきたように、雑談というのは「人」と「人」とをつなぐ最初の接点です。どんな仕事でも、人間関係でも、「こんにちは」というやり取りから始まります。

このちょっとしたやり取りの中で、互いへの共感が生まれ、理解が深まり、のちの信頼関係の礎《いしずえ》となるのです。

どれだけ気持ちをわかってもらえるか、話を理解してくれているか、この人だったら心を許せるか、そう思ってもらえるコミュニケーションを取ることで、人間関係の結びつきが強まり、人生のより深いところで関わっていくことができます。

ところが多くの現代人は、あまりにも「人間関係を深める」「人と信頼関係を築く」ということに無頓着で、うかつな方が多いような気がしてならないのです。

10代の人も、20代の人も、彼らを指導する30～40代以上の人も、同様です。

たとえば謝罪をしなければいけない場面でも、「おじゃまいたします」「このたびは大変申し訳ございませんでした」などといった最初のひと言と、そのときの態度がその後の方向性を決めます。

最初のやり取りで相手の怒りを忘れさせてしまうくらいの会話ができるかどうか。相手を受け入れ、共感し、雑談ができるかどうか。それができる人は、許してもらえるばかりか、すぐに気に入られ、新たな人間関係をスタートさせることができます。

社会にはさまざまな肩書きがありますが、それは狭い世界の話であり、結局、最後は人と人。人間同士のつながりの濃さがものを言います。

この人なら信頼できそうだなと、そう思われる言動が取れる人を、誰も見捨てません。

仕事はもちろん、友人関係、家族親類の関係もしかりです。

浅く薄い、関係をうっすらとつなげるためのコミュニケーションではなく、より強く、深く、結びつきを強める密度の高いコミュニケーション。そんなコミュニケーションが取ることができれば、人生は間違いなく豊かになっていきます。

雑談には、人生を変える大きな力があります。これまでの人生の中で、私はそのことを強く実感しています。


最後になりましたが、文響社の皆様、そしてご協力をいただいたスタッフの皆様には、心より感謝を申し上げたいと思います。

そして今、本書をお読みになられているあなたが、近い将来、私と同じような気持ちを持っていただけたらどんなに幸せかと、心から願っております。

巻末特典

『超一流の雑談力』解説動画を用意しました

最後までお読みくださり、まことにありがとうございました。

本書でお伝えしてきましたように、雑談とは、ライブ。TPOに合わせて変化させていくコミュニケーションです。そのリアルなやりとりや、空気感をお伝えできればと思い、本書の内容をフォローする解説動画を用意しました。

下記のサイトにアクセスしていただければ、無料でご覧いただけます。

詳しくはこちら

安田正.com　検索

http://yasudatadashi.com/

安田 正（やすだ・ただし）

株式会社パンネーションズ・コンサルティング・グループ代表取締役。早稲田大学グローバルエデュケーションセンター客員教授。1990年より法人向け英語研修を始め、現在は英語の他、ロジカル・コミュニケーション、プレゼンテーション、対人対応コーチング、交渉などのビジネスコミュニケーションの領域で講師、コンサルタントとして活躍している。大手企業を中心に1700社に研修を行い、一般社員の他に役職者1000人以上の指導実績を持つ。また、東京大学、早稲田大学、京都大学、一橋大学などでも教鞭をとる。本書のテーマ「雑談」は、ビジネスや人間関係の最初の入口であり、信頼関係を築く重要な武器になるが、その効果は広く認知されていない。その状況を憂い、実用性、再現性のあるスキルとして確立させたのが「超一流の雑談力」である。その他の著書に『英語は「インド式」で学べ!』（ダイヤモンド社）『一流役員が実践している仕事の哲学』（クロスメディア・パブリッシング）『一流役員が実践してきた入社１年目からできる人になる43の考え方』（ワニブックス）『1億稼ぐ話し方』（フォレスト出版）『ロジカル・コミュニケーション®』『ロジカル・ライティング』『会話の上手さで人生は決まる』（以上日本実業出版社）など多数。

超一流の雑談力

2015年 5 月25日　第1刷発行
2022年 1 月20日　第57刷発行

著　者　安田正

装　丁　大場君人
イラスト　白井匠
撮　影　よねくらりょう
モデル　加賀美茂樹
協　力　伊藤源二郎　植谷聖也　大橋弘祐　菅原実優　須藤裕亮　竹岡義樹
谷綾子　中馬崇尋　芳賀愛　林田玲奈　樋口裕二　古川愛　前川智子
編　集　下松幸樹
発行者　山本周嗣
発行所　株式会社文響社
〒105-0001　東京都港区虎ノ門2-2-5 共同通信会館 9F
ホームページ　http://bunkyosha.com/
お問い合わせ　info@bunkyosha.com
印　刷　株式会社広済堂ネクスト
製　本　加藤製本株式会社

 ISBN コード：978-4-905073-15-4　Printed in Japan
この本に関するご意見・ご感想をお寄せいただく場合は、郵送またはメール（info@bunkyosha.com）にてお送りください。